BÁILAME EL AGUA

DANIEL VALDÉS

Báilame el agua

CALAMBUR **NARRATIVA, 13**

MADRID, 2000

Aprendí a caminar, desde entonces corro.
Aprendí a volar, y desde entonces no tolero que
me empujen para pasar de un sitio a otro.
Así habló Zarathrustra.
FRIEDRICH NIETZCHE

I

EL río es largo, estrecho y poco profundo. Corro por él igual que el rocío resbala sobre los labios del amanecer. Mis pies empapados no son más que cantos rodados chocando contra su alma de mar, su alma que quiere ser mar. ¿Lo oyes? Suena como una paloma en celo. Y yo no puedo decir una palabra más. Dulce sal con alas y mar.

Báilame el agua. Úntame de amor y otras fragancias de tu jardín secreto. Riégame de especias que dejen mi vida impregnada de tu olor. Sácame de quicio. Llévame a pasear atado a una correa que apriete demasiado. Hazme sufrir. Aviva las ascuas. Ponme a secar como a un trapo mojado. No desates las cuerdas hasta que sea tarde, demasiado tarde. Sírveme un vaso de agua ardiente y bendita que me queme por dentro, que no sea tuya ni mía, que sea de todos. Líbrame de mi estigma. Llámame tonto. Sacrifica tu aureola. Perdóname. Olvida todo lo que haya podido decir hasta ahora. No me arrastres. No me asustes. Vete lejos. Pero no sueltes mi mano. Empecemos de nuevo. Sangra mi labio con sanguijuelas de colores. Fuma un cigarro por mí. Traga el humo. Arréglalo y que no vuelva a estropearse. No lo tragues. Échalo fuera. Crúzate conmigo en una autopista a cien por hora. Sueña retorcido. Sueña feliz, que yo me encargaré de tus enemigos. Dame la llave de tus oídos. Toca mis ojos abiertos. Nota la textura del calor. Hasta reventar. Sé yo mismo y no te arrepentirás. ¿Por cuánto te vendes? Regálame a tus ídolos. Yo te enviaré a los míos. Píllate los dedos. Los lameré hasta que no sepan a miel, hasta que dejen de ser miel. Sal, niégalo todo y después vuelve. Te invito a un café. Caliente, claro. Y sin azúcar. Sin aliento.

—Es bonito… ¿Lo has escrito tú?

Hice un gesto afirmativo con la cabeza, mirando directamente a sus ojos incendiados. Los ojos que habían atrapado mi atención desde hacía un rato. Apenas lo había leído durante unos segundos, y a la vez me observaba de reojo.

—¿Para quién lo has escrito? ¿Para alguna chica que te quita el sueño?—, preguntó distraídamente, sin darle importancia. Me devolvió el papel, y yo sabía que no lo había leído, joder, no lo había podido leer. Era una pena. Me gustaba el cálido final.

—No. Lo escribí para ti.

Rió. Y se abrió el techo, y vi el cielo, y todo lo que quisiera. Su risa era luz y me deslumbraba, rodeado de tanta oscuridad.

—¡No te creo!

Pero siguió riendo. Y era la verdad. Mi mirada no se apartó de ella desde que entró en el andén de metro donde reposaban mis húmedos huesos. Mientras estaba esperando, tranquila, la llegada del gusano metálico, sus gestos se convertían en palabras escritas sobre mi papel.

Tardé dos minutos en terminarlo. El tiempo de transformar pensamiento en realidad. Y todo para regalarme una mirada fugaz a la hoja. Pero me bastaba. El metro había llegado. Ella se metió en el vagón y murmuró un «hasta luego». Le di el papel de nuevo. Lo cogió, confundida. La puerta se cerró. El bicho con ruedas se perdió lejos.

Aquello ocurrió poco después de la época de la guitarra. No fueron malos tiempos. Una noche que merodeábamos por la ciudad, Carlos encontró una vieja guitarra española en un contenedor de basura. «Hostia, suena como Dios», dijo al tocar una de sus cuerdas. Tampoco era para tanto. En realidad, tenía una raja en la caja y sonaba muy poco, como una radio con las pilas gastadas. Carlos recordaba algunas canciones que su madre le enseñó cuando era pequeño para que pudiera participar en el coro de la iglesia. Era una iglesia evangelista, ya sabes, de ésas en las que la gente canta y toca instrumentos durante las misas. Y así, pasábamos las tardes en los pasillos del metro recreando viejas melodías religiosas. Carlos hacía como que tocaba la guitarra y yo hacía como que cantaba. Tuvimos que entrar en una iglesia a pillar hojas de cánticos porque yo no tenía ni puta idea de las letras.

Burlar a los guardias de seguridad no era difícil. Estaban muy ocupados con tanto negro vendiendo todo tipo de objetos inútiles, y pasaban bastante de nosotros.

Las cosas fueron a mejor con lo de la flauta. Una mañana, Abundio, el rasta, nos regaló su flauta. Era una flauta dulce de plástico. Se la mangó un día a un niño que salía del colegio. La vio, dijo que le gustaba y se la quitó, así, sin más. El niño no lloró, ni nada. Se quedó flipado mirando a Abundio, el rasta. Seguro que, en el fondo, le vino bien al pobre crío. Por lo menos no tendría que tocarla durante unos días, hasta que su madre le comprara otra. Abundio, el rasta, solía ponerse a tocar la flauta en el Retiro para ver si se sacaba unas pelas.

La verdad es que la tocaba de puta madre. Nadie sabe dónde aprendió, pero un día, de repente, la tocaba de puta madre. Entonces empezó a fumar mogollón de chinos y, claro, como los chinos te dejan la garganta hecha unos zorros, Abundio, el rasta, dejó de tocar la flauta. No tenía aire para respirar, ¿cómo iba a soplar por el jodido tubo? Una mañana de sol blanco nos encontramos y me la dio. «Un rasta no suele llevar cosas inútiles», me dijo. Así que, desde entonces, Carlos hacía como que tocaba la guitarra y yo hacía como que tocaba la flauta. No es difícil. Total, sólo tiene siete agujeros para tapar, bueno, ocho si cuentas el de abajo, y yo tengo diez dedos en mis manos. Vamos, que me sobran dos dedos y todo. La verdad es que la gente nos dio más dinero a partir de entonces. No sé si sería porque yo ya no cantaba o porque les resultaba morboso ver a un tío chupando un palo largo. Estuvimos un mes en el metro con la guitarra y la flauta, y no eran malos tiempos, ya te digo, hasta que otra mañana de sol blanco me volví a encontrar con Abundio, el rasta. Ya no fumaba chinos. Ahora se metía el caballo por vena, así que podía volver a tocar la flauta. Se la di con gran dolor de corazón. «Oye, Abundio», le dije, «si ves a otro niño con una flauta de plástico, ¿me harás el favor de mangársela para mí?» Abundio, el rasta, me dijo que claro, coño, que para eso estaban los amigos. Y volvió corriendo al Retiro a tocar la flauta para ver si se sacaba unas pelas.

Aquel día Carlos no estaba tocando la guitarra. Un segurata del metro nos había pillado al fin y le metió una hostia al instrumento que vulneraba la tranquilidad de los usuarios del transporte público. Carlos fruncía el ceño tumbado en el suelo, tratando de arreglar la caja de la guitarra con un rollo de cinta aislante que le había dejado Mauricio, el cartonero.

Pasaron ocho días y, como no teníamos dinero, empecé a escribir gilipolleces en papeles viejos que me conseguía Mauricio, el cartonero, que se había hecho muy colega nuestro. Se los daba a la gente que pasaba, por ver si a algún alma caritativa se le abría un poquito el corazón ése que dicen que todos tenemos y me daba algún durillo. Y no te creas, que había banda que me daba dinero. No entiendo por qué, pero me daban dinero.

Yo estaba todo tirado en la misma estación, ya sabes, la de Bilbao, y en el mismo andén y todo. Tenía unos papeles en la mano, pero no pasaba mucha gente. Noté un toque en el hombro y, hostia, era ella, la chica de los ojos-brújula. «¿Te pasas todo el día metido en el metro?», me dijo. Bueno, viendo el tono de mi piel no era algo difícil de adivinar. «Pues ya ves...» «Y qué, ¿me invitas a ese café?» Joder, pues sí lo había leído...

Llevaba una mochila de cuero negro, que le robaba el color al cabello cortado a lo chico. Los labios de corazón contrastaban con el pálido tono de la piel. Y vestía algo descuidada.

Nos sentamos en la única mesa de un pequeño bar de Malasaña. Debían ser las diez de la noche, o así. Habíamos sacado nuestros cuerpos de los oscuros laberintos subterráneos por una salida de Bilbao que tiene una resonancia cojonuda. Sólo había dos o tres personas en el bar, todos de pie junto a la barra. El suelo era un espejo empañado por el líquido derramado. «Me llamo María», me dijo cuando iba a mojar sus labios en un café solo. «Lo tomaré sin azúcar, claro», me sonrió, «¿tú no tomas nada?» «Todo mi dinero está en la taza que sostienes». Me ofreció su café, con un ligero gesto de culpa en la cara. Lo rechacé educadamente. «No suelo tomar café. Me pone nervioso. Su sabor me recuerda a tardes de cielo nublado, y no aguanto los días sin sol… Además, siempre acabo derramándolo y manchándolo todo». «A mí también me encanta el sol. De niña vivía en San Sebastián, y recuerdo cómo esperaba impaciente la llegada del verano cada año. No era porque no hubiese que ir a clase, ni porque me pasara el día en la playa, sino porque, en verano, el sol nos saludaba por las mañanas desde lo alto y me teñía la piel de alegría. Me despertaba cada día una hora antes que durante el resto del año sólo para verlo nacer de colores… ¿Sabes lo que también me gusta mucho? La puesta de sol en el mar. Es como si por un momento se mezclaran el cielo y la tierra, el aire y el agua, todo lo que has vivido con lo que aún te queda por vivir». María siguió hablando durante horas, sosteniendo la taza, vacía desde hacía tiempo, como si fuera un tesoro de Oriente. Yo, simplemente, la miraba con los ojos muy abiertos, muy redondos. Es todo lo que podía hacer, porque se me había comido algo de dentro, me había hipnotizado.

Un día Carlos conoció a Elena. Yo no estaba allí cuando la conoció, así que no sé cómo sucedió. Pero se gustaron enseguida, y los dos a la vez, que es lo más difícil. Al poco tiempo Carlos se fue a vivir al piso de Elena, que trabajaba de no sé qué en no sé dónde. Yo no fui con ellos, claro. ¿Qué coño pintaba allí? Carlos me dio la dirección, dijo que me pasara a verle alguna vez, o si tenía algún problema, o algo. Elena también lo repitió un par de veces. Y yo me quedé solo en el metro, con mis gilipolleces escritas en los papeles de Mauricio, el cartonero. Hasta que llegó María.

La calle no da mucho dinero, sobre todo si eres joven y medianamente sano. Hombre, si tienes ochenta años y te falta una mano, a lo mejor te sacas unas pelas. O si montas el numerito de los diez mil críos esperando en casa a que les lleves algo de comer. Pero yo, por suerte o por desgracia, tengo las dos manos, y la verdad es que no doy la impresión de ser padre de familia numerosa. Más bien parezco uno de los diez mil mocosos que espera en casa a que llegue papá con la comida.

Pasaron tres días y María seguía conmigo. No me preguntes por qué. Son cosas que pasan de vez en cuando, aunque a mí no me había sucedido nunca.

María se había escapado de casa, creo, aunque no hablaba mucho de eso. Prefería hablar del sol o, en su defecto, de las nubes y yo estaba de acuerdo con ella.

Me dijo que después de nuestro primer encuentro anduvo unos días por ahí, sin rumbo fijo. Hasta que encontró el papel de Mauricio, el cartonero, el que yo había escrito, en el bolsillo de su abrigo de ante marrón. María estaba, casualmente, delante del metro de Bilbao, así que se coló para ver si me veía en el andén. Y, cosas del Destino, ese señor que juega con nosotros como si fuéramos piezas de ajedrez, yo seguía allí.

El otoño empezaba a comerse el verano y ya no era tan agradable dormir en un banco del parque. Yo nunca duermo sobre la hierba, es una costumbre que tengo, porque al amanecer el rocío te moja y te quedas helado. Pero ya no estaba el tiempo como para dormir al raso. Había pasado una semana y, cosas de la vida, María seguía conmigo. Ni siquiera nos habíamos tocado, pero seguíamos juntos. Pedíamos dinero para coger un autobús inexistente a Cuenca, a Palencia, o qué se yo a dónde, y con eso íbamos tirando para comer. María tenía cara de buena persona y la gente la creyó durante una temporada. Luego empezaron a darle cada vez menos dinero. Si te fijas, las personas que pasan por una plaza o por una calle cada día son siempre las mismas. Al poco tiempo ya los conoces a todos, y ellos te conocen a ti. Así que no cuela la misma historia. Yo, como nunca conseguí dinero, no noté tanto el cambio cuando ya no me dieron más.

Fue por entonces cuando me encontré otra vez con Abundio, el rasta. Le pregunté por mi flauta y me dijo que lo sentía, pero que ya no frecuentaba colegios. Ahora vivía con otro colega suyo en el piso de Elena. Y es que un día se cruzaron con Carlos por la calle, les invitó a fumar unos porros a casa de su novia y a Abundio, el rasta, y a su colega les gustó tanto el lugar que se quedaron a vivir allí, en plan ocupación total. Nos dijo que nos apuntáramos a la movida, que había sitio para todos en el piso. María y yo fuimos con él porque insistió en que le acompañáramos, de verdad. Qué quieres que te diga, si no tienes dónde ir y te ofrecen una casa no te vas a negar. Me resistí un poco, incluso, por aquello de no molestar… No vayas a pensar que lo hice por joder a la novia de Carlos.

Así me enteré de que Carlos había conocido a través de Abundio, el rasta, a un tío que pasaba caballo a saco. No era uno de ésos que pasan cuatro papelinas, no. El tío era un camello tocho. Se hicieron colegas y Facundo, el camello, le preguntó a Carlos que si quería vender. Facundo le daba unos gramos, ya mezclados con todo la mierda del mundo, Carlos se los colocaba por ahí a la gente y se quedaba con una parte de las pelas para él. O, si lo prefería, con unas papelinas gratis. Facundo no se lo ofreció a Abundio, el rasta, porque sabía que lo suyo era oler una mota de polvo a cien metros e ir corriendo a metérsela. Así que Carlos había empezado a pasar caballo y le iba de puta madre.

Llegamos a la casa de Elena, que estaba en una callecita de Chueca. Era uno de esos portales antiguos que no tienen ascensor y en los que las viejas escaleras de madera suenan como un acordeón oxidado cuando las pisas. Abundio, el rasta, me dijo que no solía bajar mucho a la calle por no tener que subir luego las escaleras. Cuando llamamos al timbre de la puerta, el pobre Abundio, el rasta, estaba ahogado. Ya no fumaba chinos, como te he dicho antes, pero su dieta alimenticia se componía única y exclusivamente de hachís, y eso pasa factura a los pulmones. Abrió Carlos. Creo que se puso contento al vernos. Me dio un abrazo y me dijo que por qué no había ido antes a visitarlos. Luego, cuando le pregunté que si nos podíamos quedar en el piso unos días le cambió un poco la cara. Pero me respondió que claro, hombre, que el tiempo que quisiera, que no había problema. Pues de puta madre, tío.

El salón de la casa era bastante grande y daba a un patio muy feo con ropa tendida. En el sofá del salón estaba tumbado el colega de Abundio, el rasta, haciendo el ladilla. Era un tipo pequeñito que no hablaba mucho. Sólo se reía, o, mejor dicho, emitía unos extraños sonidos que nosotros identificábamos con risas. Al abrir la boca, cosa que únicamente sucedía cuando emitía esos sonidos de los que te hablo o cuando expulsaba el humo de los porros, mostraba su dentadura podrida. Le debían quedar dos o tres dientes sanos, como mucho. A lo mejor era por eso por lo que tampoco comía apenas. No llevaba el pelo hecho churretones rastas, como Abundio. Más bien parecía punki, con esa especie de cresta y el imperdible en la oreja. Le llamaban el Titanlux, porque en sus buenos tiempos de punki se pintó la cresta con un bote de pintura que pilló en una obra. Cuando yo lo conocí, tirado en el sofá de casa de Elena, lo llevaba decolorado con agua oxigenada y se le había quedado de un tono naranja muy simpático.

Elena llegó por la noche, y no le hizo mucha gracia la presencia de nuevos inquilinos. Se metió en su cuarto con Carlos y empezaron a hablar en voz alta. Yo no escuché lo que decían, porque no tengo costumbre de atender a las conversaciones de los demás. Creo que es de mala educación. Carlos salió del cuarto con cara de mala hostia. María susurró que sería mejor que nos fuéramos y Carlos respondió que no, que de ninguna forma, que a ver si no iba a poder invitar él a sus amigos a casa cuando quisiera. Insistió tanto que, la verdad, tuvimos que quedarnos por no hacerle un feo. Elena se encerró en su dormitorio y no salió hasta la mañana siguiente. Carlos se quedó con nosotros en el salón. Esa noche jugamos todos a las películas. Carlos y yo solíamos jugar cuando nos aburríamos en el metro. La gente pensaba que el que representaba la película con gestos era un mimo, y a veces se quedaban a mirar y nos echaban pelas. En el piso de Elena jugamos de una forma más sofisticada, untados por el humo de los petas. Había papeles con nombres de películas escritos, y salía uno, cogía un papel y dramatizaba el título que ponía en su hojita sin hablar, a ver si los demás lo adivinaban. El que mejor lo hacía era el Titanlux. Era un auténtico profesional. Más adelante llegué a la conclusión de que su gran capacidad para el juego se debía a que se pasaba todo el día viendo Barrio Sésamo y dibujos animados en la televisión. Controlaba los horarios de todas las series de muñequitos del mundo, el tío. Y, claro, como esos programas son tan educativos y desarrollan tanto la imaginación, el Titanlux era un monstruo jugando a las películas.

Había pasado una semana y seguíamos viviendo en casa de Elena, a pesar de que María cada día repetía que, de verdad, si molestábamos, nos íbamos en seguida. Yo creo que no le gustaba mucho estar allí. Creo que Abundio, el rasta, y el Titanlux no le caían demasiado bien, o les tenía miedo, o algo. Pero Carlos insistía en que nos quedáramos.

Al fin me enteré de que Elena trabajaba en una tienda de ropa de segunda mano en Fuencarral, casi llegando a Gran Vía. A decir verdad, era la única que trabajaba realmente en la casa. Bueno, Carlos pasaba caballo y Abundio, el rasta, y el Titanlux tenían sus trapicheos, pero el único trabajo normal era el de Elena.

Una mañana en la que estábamos solos en el salón, Carlos me sugirió que tratara de conseguir pelas de alguna forma. Al parecer, lo que más le jodía a Elena de la situación no era que hubiéramos ocupado el salón, el cuarto de baño y la cocina de su casa. Bueno, eso le jodía, pero se aguantaba. Lo que de verdad le molestaba era que María y yo vivíamos a expensas de ella y Carlos, o sea, que no ganábamos un duro y nos papeábamos su comida. Los otros dos colegas, entre flautas y chanchullos de todo tipo, traían pelas. Pero María y yo éramos auténticos parásitos. La verdad, que te diga esto un amigo tuyo es un poco marrón, así que salí esa misma mañana a buscar trabajo. Pero no es algo tan fácil, sobre todo si tienes un aspecto tan desastroso como el mío. Soy demasiado débil para descargar cajas en Mercamadrid, no me aceptaron como repartidor en Tele Pizza simplemente porque no tenía carnet de moto, y no conozco ningún oficio de provecho. En realidad, aunque me avergüence decirlo a mi edad, jamás he trabajado en nada. Y eso no ayuda cuando buscas curro.

Carlos vio que no conseguía un empleo y me dijo que, si quería, podía pasar algo de caballo con él. Por lo menos me justificaba ante Elena. Le acompañé un par de días en su recorrido para ver de qué iba el rollo. No era complicado. Se paseaba por Malasaña, Chueca y Gran Vía y, de vez en cuando, ofrecía su mercancía a gente con pinta de estar interesada en el polvo. Por muy bien que se disfracen los maderos de la secreta se les diferencia a la legua. Como Carlos trabajaba para Facundo, que era un tipo muy popular, ninguno de los otros tíos que vendían heroína se metían con él. A mí me presentó a algunos, para que no tuviera problemas cuando empezara a pasar.

Carlos tenía su cuartel general en el Dos de Mayo. Aunque por aquel entonces aún estaban esas putas verjas de las obras, siempre había un hueco en el que sentarse. Cuando se cansaba de patear las calles, se iba a la plaza y esperaba allí a que pasara alguno de sus clientes habituales. No llevaba toda la mierda encima, por si las moscas, y la escondía debajo de un pedrolo que había en una esquina. Y si algún tío con el mono se le ponía gallito, manejaba una pedazo navaja del quince.

Una tarde estaba yo tirado en el suelo del salón, sin hacer nada, cuando se despertó Titanlux, que dormía la siesta en el sofá. Levantó la cabeza y miró la hora en su reloj. Según Abundio, el rasta, el reloj se lo mangó a un tío al que le dio un ataque al corazón delante de sus narices. Yo prefiero pensar que se lo compró a un moro o que era una herencia de su abuela. Titanlux miró la hora, se levantó y puso la tele. Empezaba Barrio Sésamo. Salió Espinete y el punki trasnochado se descojonaba. «¿Te has fijado en que nunca mueve el brazo izquierdo?», me dijo. Era la primera vez que oía su voz. Era una voz de pura hojalata, de una resaca de mil noches de vino juntas. «Yo creo que utiliza la mano izquierda para mover la boca del bicho, y por eso le cuelga la de trapo. Lo que todavía no he descubierto es por dónde asoma los ojos», añadió a su filosofía del movimiento del erizo rosado. Lo fuerte es que tenía razón. Joder, cuando eres pequeño eres gilipollas. Yo nunca me di cuenta de ese detalle, y eso que no me perdía ni un capítulo. Después, salieron Epi y Blas. Epi no podía dormir, para variar, y le daba el coñazo a Blas, que era bastante arisco, como siempre. «Yo creo que están enrollados», me comentó solemnemente Titanlux mientras los muñecos decían sus paridas. «Eso de dos tíos viviendo solos, siempre juntos y compartiendo dormitorio me parece muy raro, aunque sean muñecos...»

Al principio lo del caballo no fue mal. Nos íbamos María y yo por ahí y pasábamos lo que podíamos. A ella no le molaba mucho la historia, pero con tal de no aguantar las caras de perro de Elena estaba dispuesta a hacer cualquier cosa. Y como no teníamos otra posibilidad, nos dedicábamos a vender caballo. Conseguíamos el dinero suficiente como para comer más o menos bien. Elena había cerrado la nevera a cal y canto, así que dependíamos de nuestros propios recursos.

También salíamos de bares cuando teníamos dinero, no te creas. Bueno, sobre todo salíamos cuando ya no vivíamos en casa de Elena. Pero antes también. No bebíamos mucho, porque no estaban las cosas como para derrochar. En todo caso, nos fumábamos algo fuera y entrábamos en el bar. Solíamos ir al Ya´sta, a eso de las siete de la mañana, cuando abrían el after hours. Iba una banda muy curiosa. Allí conocimos a Julito, el marica, pero eso fue más adelante, un mes después, por lo menos.

Una mañana me desperté antes de lo normal. Me sobresaltó el portazo que pegó Elena al irse. Lo hacía cada día, y no porque temiera que se quedara la puerta abierta, sino más bien por jodernos un poquillo. Yo tengo el sueño bastante pesado, así que a mí plin, pero aquel día me había tocado sobar en el puto suelo y me quedé toda la noche en una especie de duermevela. El suelo de la casa de Elena es el más frío de la tierra, lo juro. Me desperté y vi a Carlos a través de la puerta entreabierta de su habitación. Hacía tiempo que Elena le había dejado dormir con él de nuevo. Estaba despierto, sentado sobre la cama. Calentaba un poco de caballo en una cucharilla de metal con un mechero. Se iba a meter un pico. Yo no sabía que Carlos se pinchaba. Joder, debería haberlo notado, ¿no? Cuando vivíamos en el metro no se metía nada, bueno, unos chinos cuando podía, como todos; coca con algo de suerte. Pero no pasábamos de ahí. Aparté los ojos, porque no soporto ver la sangre.

Cuando terminó, salió de su habitación y puso la tele. Me saludó muy tranqui, con una sonrisa que te cagas y los ojos como estrellas, reflejando el cristal que llevaba en vena. Es que debo ser gilipollas, mira que no darme cuenta antes… «¿Desde cuándo te picas?», le pregunté. «No sé, desde hace tiempo… Un día estaba por ahí con el Facundo, que es un tío de puta madre, y al final, ya ves, me metí un pico, a ver qué tal. Es que no tiene nada que ver con ninguna otra cosa, ¿sabes?, ni con los chinos, ni nada. Y si lo sabes controlar no hay ningún problema. Yo, además, lo pillo mogollón de barato. Ya paso de porros, de farla y de todas esas gilipolleces, es que esto es la hostia, te quedas como Dios. El polvo es la verdadera vida, tío, y lo demás, pura existencia.»

2

CARLOS y yo nos conocemos, más o menos, de toda la vida. Éramos vecinos y nos pasábamos el día jugando al fútbol en un parque del barrio. Una mañana decidimos que nuestras familias no nos gustaban, así que tratamos de buscarnos la vida por nuestra cuenta. Y, la verdad, tampoco se puede decir que nos haya ido tan mal. Por lo menos estamos vivos y sólo aguantamos a quien queremos.

El hermano pequeño murió antes, mucho antes. Antes de la flauta, de la guitarra. Antes de todo. Yo seguí hablando con él durante una temporada, pero al final dejé de hacerlo porque el hermano pequeño no me respondía.

Carlos me preguntó por María. Vamos, que quería saber de qué iba nuestro rollo. Se quedó bastante flipado cuando le dije que nuestra relación consistía exactamente en lo que él veía, ni más ni menos. «Pero, entonces, ¿no folláis, ni nada?», dijo con cara de pene. «Pues no...»

María encontró, al cabo de unas semanas, a Verónica. Caminábamos por Montera, a eso de las ocho de la tarde, cuando, de repente, se fundió en un abrazo con una tía que pasaba por allí. «Cuánto tiempo», exclamaron las dos casi a la vez. Luego me contó que iban juntas al colegio desde muy pequeñas, a uno de esos colegios de monjas donde las niñas visten uniformes de feos colores. Que eran muy amigas y que habían dejado de verse cuando Verónica se cambió de casa y empezó a ir a un instituto que estaba muy lejos. María siguió yendo al colegio de monjas y viviendo en la misma zona. Así que dejaron de verse.

Verónica era una chica preciosa, por cierto. Muy delgada, rubia y con la cabeza a pájaros. Le dijo a María que vivía en una pensión que estaba muy bien, allí mismo, en Montera. Un sitio limpio y barato, sin lujos, claro, pero de lo mejor que podías encontrar por ese precio.

Al día siguiente, mientras veíamos a los homosexuales Epi y Blas con Titanlux, María me dijo, muy mimosa, que podríamos irnos a vivir a la pensión, por probar, solamente, que ya estaba bien de estar así, en una casa que no era nuestra. Le pregunté si se refería a irnos los tres, Titanlux, ella y yo, y María me respondió que podíamos dejar a Titanlux con sus marionetas.

Yo no encontré nada que objetar, a pesar de que lo busqué. Teníamos un poco de dinero, con eso de pasar caballo, lo suficiente para pagarnos la pensión. Si seguíamos vendiendo, no habría problemas para conseguir algo de comer cada día. Y, la verdad, últimamente casi no veía a Carlos, que se tiraba todo el rato con Facundo por ahí.

Comunicamos nuestra marcha al día siguiente. Elena trató de simular algo de pesar, pero sin decir en ningún momento que no hacía falta que nos fuéramos, o algo parecido. Abundio, el rasta, y Titanlux se pusieron muy tristes, porque se habían acostumbrado a nuestra compañía. Ellos sí nos comentaron que les visitáramos cuando nos apeteciese, que su casa era la nuestra. Qué enrollados. Carlos no estaba en el piso cuando nos fuimos. Se había ido a ver a Facundo por no sé qué historias del caballo. Pero antes de irse me dijo que me siguiera pasando por el Dos de Mayo si quería, para pillarle el polvo y eso. Como me lo dejaba al precio del Facundo, lo podía vender más caro y seguir sacándome una pelas.

La pensión estaba bien. Nada de lujos, pero tampoco nada de ratas y bichos por el estilo. Manolo, el que llevaba la administración de las habitaciones, era un buen hombre. La pensión no era suya, era de un tío que vivía en una zona bien de Madrid, por Arturo Soria, creo. Manolo tenía un bar justo al lado del portal de la pensión, y el dueño le pagaba un sueldecillo extra por llevar el rollo ése de cobrar a la gente y arreglar algún lavabo estropeado de vez en cuando. Lo único que nos dijo fue que allí no quería nada de drogas. Bueno, no hay que ser siempre sincero con los demás, ¿no?

Verónica se puso muy contenta cuando nos vio. Se fue con María toda la tarde por ahí, a hablar de sus cosas, y yo me quedé en el cuarto de la pensión, mirando al cielo desde un estrecho ventanuco.

Aquella noche fue la primera que pasé a solas con María en un lugar que no fuera un parque.

Para qué engañarnos. Lo de pasar caballo no era lo nuestro. Al principio las cosas no iban mal porque vendíamos a desconocidos, pero poco a poco empezamos a tener clientes fijos. Y, claro, todos los drogatas del barrio te fichan que pasas harina y empiezan los problemas. Te llegaba uno y te suplicaba por Dios y por la Virgen que le dieras una papelina, sólo una, o para un pico, lo que fuera, que te daba las pelas al día siguiente, que de verdad, que tenía un chanchullo muy guapo en no sé dónde y mañana te pagaba. Te daba el coñazo todo el día, hasta te amenazaba con llamar a la madera, cualquier cosa. Y eso cuando no te venían de mal rollo, con un monazo agresivo y un bardeo en la mano, diciéndote que les dieras el puto polvo ya mismo o te hacían un siete en el ombligo. Para llevar bien aquello había que estar hecho de una pasta especial, más dura que el resto, como el Facundo, o como Carlos, si me apuras. Y María y yo no éramos así. Cuando nos venían de buenas, por confiados, y cuando llegaban de mala hostia, por miedo, la mitad de las veces acabábamos dándoles el caballo gratis. Total, que no nos sacábamos ni un duro. A veces, incluso, no ganábamos ni para pagarle a Carlos lo que nos había pasado. Él nos decía que anduviéramos más al loro, que no nos tomaran el pelo. Y nosotros lo intentábamos. Pero entonces era cuando te llegaban Abundio, el rasta, o el Titanlux, con un monazo de muerte, pidiéndote un pico. Y, joder, al verles con esa calavera se te iba el alma a los pies, que eran colegas, coño, y no les ibas a dejar así... Además, por aquella época en la que lo de pasar ya no era un buen negocio, empezamos a pincharnos María y yo, y claro, las papelinas desaparecían en un abrir y cerrar de ojos y no había dinero por ningún lado.

Verónica nunca me supo explicar qué fue antes. Decía que era como lo del huevo o la gallina, un círculo vicioso. Bueno, a lo mejor el primer trabajillo lo había hecho antes de empezar a pincharse, pero luego se había tenido que meter caballo para poder aguantarlo, y para comprar caballo tenía que trabajar, y aquello era lo único que sabía hacer, y además no iba a encontrar otra cosa mejor pagada, y, bueno, cuando estaba colocada tampoco se enteraba de mucho, la verdad. ¿O fue al revés? Sí, un día estaba toda colocada y un tío se lo dijo y, tal como iba, pues era dinero fácil, que no es algo sencillo de conseguir, además el tío sólo quería mirarla un poco y una chorradita rápida, ya sabes, sin mucho contacto, cosas peores había tocado... Vamos, que una cosa llevaba a la otra, que sin una de las dos no podía ser, o le faltaba el dinero o le sobraban escrú-pulos, y que sin las dos era imposible vivir ya.

Manolo quería pintar el bar y yo estaba por ahí, como siempre, haciendo el vago. Me vio y me dijo que me daba veinte talegos por pintarle el bar entero, la fachada y todo, que era algo muy fácil, que no tenía mucha complicación, bueno, a lo mejor el almacén algo más, pero que si reti-raba las cajas y conseguía una escalera no habría pro-blema.

María y yo no andábamos bien de pelas. Ya no pasá-bamos caballo más que de vez en cuando, porque Carlos se había cansado de pagarnos nuestras deudas con Facundo y no le hacía mucha gracia adelantarnos las papelinas sin que le diéramos el dinero. María todavía no había empezado a trabajar, así que me pasé una semana pintándole el bar a Manolo. El hombre era enrollado, la verdad. Parecía muy serio, pero cuando se soltaba no paraba de hablar. Y algunas veces se sacaba unos botellines, y todo, y yo dejaba de pintar un rato y nos sentábamos en una mesa a ver la televisión y a hablar de cosas de hombres. Me dijo que de cuando en cuando pasaba un rato con Verónica, ya sabes, que era una chica muy maja y que era una pena lo suyo.

Con el dinero que gané pintando el bar vivimos bien una temporadilla. Salíamos por ahí, al Ya'sta, que nos gustaba mucho. Una noche que estábamos sentados al lado de una de las mesas, delante del escenario, vino un tío y se sentó con nosotros en los sillones. Dijo que tenía los pies destrozados de tanto bailar. Llevaba el pelo al dos teñido de rubio platino, las cejas hiperdepiladas y un aire de locaza impresionante. Empezamos a hablar con él. Era muy gracioso, aunque maricón perdido, el pobre. Se llamaba Julito. Decía que lo suyo había sido un error de la naturaleza, que él era niña y nació con pito. Conocía al camarero como si llevara toda la vida yendo al Ya'sta. Debían tener ambos unos treinta y muchos años. El camarero, al que se le notaba también un cierto ramalazo, llevaba el pelo largo recogido en una trenza y, en vez del modelito ajustado del bailarín, iba forrado de tela vaquera por todas partes. «¿Por qué no les invitas a algo a estos chicos tan simpáticos», le dijo Julito. Tino, el camarero, nos puso un par de cervezas. Nosotros sacamos una china de costo que nos dio Abundio, el rasta, la última vez que nos cruzamos con él y con su flauta, y nos rulamos unos porros. «Esto no está mal», decía Julito entre risas, «pero lo mejor que hay en esta vida es el sexo, ¿verdad, Tino?» Tino sonreía. «Es una pena que tú no entiendas, porque no entiendes, ¿no?», me susurró la niña que nació con pito. Yo sonreí y negué con la cabeza. Julito no paró de reír y soltó, en una sonora carcajada: «¡Ay, algunos no saben lo que se pierden!»

Lo malo del dinero es que se acaba. Le debíamos ya dos semanas de pensión a Manolo, y lo de las papelinas iba de pena. Estábamos de pie junto al Oso y el Madroño, esperando recibir una iluminación divina del animal de piedra, cuando llegó Verónica. María se fue con ella. Estuvieron hablando un rato. Al cabo de unos minutos volvió María y me pidió algo de polvo. «Sólo tengo un par de gramos, y deberíamos venderlo», le dije. «Dámelo todo, luego le doy yo las pelas a Carlos», me respondió muy rápido. Se fueron las dos y me dejaron con mi amigo el oso.

Siempre que íbamos al Ya'sta nos encontrábamos con Julito, el marica, y Tino, el camarero de la larga trenza. Una noche, bueno, más bien una mañana, llegamos y vimos a Julito hablando con un chaval de pelo larguísimo y barba de varios días. Parecía un Cristo de veinte años. Le preguntamos a Tino por él. «Es un niño muy majo que venía con el gordo ése del traje. A Julito le ha gustado, y como parecía que el chico estaba un poco harto del gordo, le ha entrado. Llevan ya un buen rato charlando». Comprobamos, efectivamente, que había un gordo trajeado y con cara de cerdo al lado de Julito y el joven del pelo hasta el culo, y que les miraba con ojos celosones. Al fin, el cerdo de gala se acercó al Cristo, le dijo unas palabras y se fue con mal gesto en la boca. «Yo creo que se lo va a hacer», me dijo María, divertida. Julito nos vio y nos presentó al chico, que se llamaba Borja, ni más ni menos. A la locaza treintañera le brillaban mucho los ojos. «¿Te has metido algo en el cuerpo?», le pregunté extrañado por su vitalidad. «No, hijo, no, es que a mí, cuando me entra la marcha, me entra de verdad…» Justo antes de que María y yo nos fuéramos a la pensión, Julito y Borja salieron juntos del Ya'sta. «Se van a casa de Julito», nos comentó Tino con una sonrisa en la boca.

Mientras miraba al oso buscando respuestas imposibles, una mano me tocó el hombro. Me di la vuelta y encontré la sonrisa mellada de Mauricio, el cartonero. Joder, hacía por lo menos tres o cuatro meses que no le veía el pelo. Me preguntó qué tal me iba y yo le conté mi triste situación. «Pues si te hace falta dinero, vente unos días conmigo a buscar cartones por ahí y vamos a medias. Yo ya estoy viejo para cargar con tanto papel». Como no tenía otra cosa que hacer, estuve hurgando toda la semana entre la basura de medio Madrid en busca de cartones y papeles en buen estado que luego vendíamos al peso en una tiendecilla de Argüelles. Creo que era una especie de recicladora, o algo así. La verdad es que no pregunté mucho de qué iba el rollo, porque a mí lo que me interesaba era el dinero, para qué engañarnos, y no el ciclo de vida del papel en Madrid. Mauricio me dio la mitad de las pelas, como había prometido. La gente que trabaja en oficios pequeños y laboriosos suele ser bastante legal. Me dijo que cuando volviera a necesitar dinero le buscara, que estaría por ahí, recogiendo cartones, como siempre. La verdad, para lo pesado que era aquel trabajo no estaba muy bien remunerado.

Fui a ver a Manolo con el dinero fresco para pagarle el alquiler atrasado. Cuando le iba a dar lo que le debíamos me dijo que ya le había pagado María hacía dos o tres días. Me quedé un poco de piedra. No me había dicho nada.

Eran las once de la noche y salí a tomar el fresco por la Gran Vía. En la esquina de Callao vi a María y a Verónica, vestidas como putas, completamente colocadas, y a un coche parado delante de ellas. Se metieron las dos en el coche y salieron a los veinte minutos. Yo me volví a la pensión con la cabeza ardiendo y mis tripas haciéndose nudos alrededor del corazón.

Subí a nuestra habitación. Con un mechero, calenté en una cuchara un poco de caballo disuelto en agua. Lo absorbí con una chuta que había comprado en la farmacia de guardia. Cogí un cordón de mis botas y lo até en mi brazo para sacarme las venas. Cuando una salió a relucir casi hasta explotar, me pinché con la fina aguja y saqué parte de mi sangre para mezclarla con el polvo redentor. Luego apreté el émbolo, y ya no dolía nada, ya era otro, ya no estaba en este puto mundo.

Recordé los tiempos en que Carlos y yo íbamos al parque del Oeste, al paseo Moret, a ver a las putas que había por allí. Eran todo travelos, con las tetas muy gordas al aire y grandes pelucas de colores chillones. Pasábamos a su lado y, como no éramos más que unos críos, no nos decían nada. Bueno, una vez uno nos preguntó a gritos que si nos había enviado papá para buscarle compañía. Y es que los travestis siempre hablaban a gritos, con sus gruesas voces de hombretón soltando todas las burradas que se les ocurrían. Veíamos a los viejos que se paraban con sus coches, hablaban un momento con alguno de ellos y, si les parecían bien las condiciones, se subían un travelo o dos y les hacían cualquier marranada. Carlos y yo volvíamos a casa congestionados. Había un vagabundo por ahí que nos dijo que si queríamos ver una auténtica manada de travelos nos fuéramos a la Casa de Campo, que eso era la hostia. Nos comentó también, muy didáctico él, que las lumis ya no pillaban nada, que ahora los tíos preferían a los maromos con tetas y boca de pez. Que para coños ya tenían los de sus mujeres.

María no dijo nada cuando volvió, hasta que vio la jeringuilla tirada en el suelo y mis ojos de astronauta. Musitó un suave «joder, tú también» y se metió en la cama. Esa noche no la toqué. Me daba nosequé.

«¿Por qué te has metido en ese rollo?», le pregunté al día siguiente. «¿A qué te refieres?» «A lo de hacerte puta». Se enfadó. Me dijo que encima le pedía explicaciones, que si creía que era un plato de buen gusto para ella, que le resultaba repugnante, pero que de algún sitio tenía que sacar las pelas, que pasaba de vivir otra vez en la puta calle. Que le debería dar las gracias, porque yo estaba todo el día sin hacer nada y ella yéndose por ahí con tíos horribles por unos miserables talegos. «Pero yo no quiero que hagas eso», le dije, inocentemente. «¿Ah, no? ¿Y qué prefieres? ¿Morirte de hambre tirado en un banco? Por lo menos con esto gano suficiente para que vivamos los dos, lo que no es poco. Dime, ¿qué es lo que prefieres?» Me quedé callado con el alma triste ronroneándome canciones sobre niños muertos. «Tú no sabes lo que quieres», me dijo, al fin.

Prefiero morir vicioso y feliz a vivir limpio y aburrido. Prefiero encontrar una estrella en el fango a cuatro diamantes sobre un cristal. Prefiero que la estrella queme, sea fuego, a un tacto rezumante de frialdad. Prefiero besar el duro suelo veinte veces para llegar una sola vez a lo más alto a escalar poco a poco, sin caer nunca pero sin llegar jamás a la cima. Prefiero que me duela a que me traspase, que me haga daño a que me ignore. Prefiero sentir. Prefiero una noche oscura y bella, sucia y hermosa, a un montón de días claros que no me digan nada. Prefiero una cadena a un bozal. Prefiero quedarme en la cama todo el día pensando en mi vida a levantarme para pensar en la de otros. Prefiero un gato a un perro. Porque el gato te araña, es infiel, te ignora, se escapa, pero sabes que, a pesar de todo, no podría vivir sin ti. En cambio, el perro es tonto, no sabe nada, te obedece hasta el absurdo. Prefiero las mujeres gato a las mujeres perro, por las mismas razones. Prefiero el mar a la montaña. La vida es una noche tumbado en la playa, mirando las estrellas sin verlas, soñando despierto, dejando que la arena se cuele entre los dedos de mis pies, embriagado de todo. Y la noche, siempre la noche. Nunca a la luz del sol. La noche es mágica. Me hace vivir, no pensar. Me pone en movimiento. Rompe mis esquemas. Prefiero las noches frescas de verano, andar con poca ropa, sentarme en el suelo y meterme algo de vida en el cuerpo. La mañana me sabe a dolor de cabeza. Me da sueño. Me quita las ganas de hablar. Me recuerda que soy mortal. Me recuerda que soy normal. La noche me hace único. Prefiero el color de la sangre y el de la gris niebla que difumina las cosas. Si sabe que prefiero el frío cuero, ¿por qué se viste con el traje de terciopelo? Se me escurre entre los dedos… Prefiero experimentar las cosas, aunque me hagan mal. Aunque me hiervan la sangre. Prefiero probarlo todo a morirme sin saber lo que me gusta. Y, más que nada, prefiero la vida que dan sus besos de caramelo y la suave caricia de su piel caliente.

—Es cierto. Tienes razón. No sé lo que quiero. Me engaño a mí mismo. Quiero todo y nada. Lo justo. Me siento fuerte y siento miedo. Me da miedo sufrir. No quiero reír porque puedo llorar, no quiero vivir porque puedo morir…

—Lo que te pasa, —me dijo María, tan tranquila, tan severa— es que quieres tocar el cielo con la punta de los dedos sin que el sol te queme las alas. Pero eso es cosa de ángeles, no de vagabundos.

Una mirada melancólica derritió el hielo de sus ojos. María cogió mi cabeza entre sus manos. Me besó en la frente. Un beso tibio. Un beso de madre. Susurró algo que no entendí, que no quise entender, abrió la puerta y se marchó.

Al rato me levanté de la cama. Me asomé por el ventanuco de la habitación, que daba a un pequeño y gris patio interior. Palomas reposaban en las cuerdas de ropa tendida y húmeda.

Ojalá la ventana diera a la calle. Ojalá fuera una terraza repleta de tiestos con geranios y claveles y cactus y enredaderas. Saldría cada día con un pañuelo a despedir a María y a rogarle una vez más que no se fuera. El sol me sonreiría y las palomas, en vez de mecerse en finas hamacas de trapos chorreantes, vendrían a comer las migas de pan que guardaría en el pañuelo. El mismo pañuelo que ahora guardo bajo la cama porque no tengo terraza, no tengo calle, no tengo sol, no tengo a María, no tengo migas de pan, no tengo nada...

La ausencia es la delatora de los sentimientos. Es la llama que muestra el dibujo trazado con zumo de limón en mi corazón. A simple vista, la pluma mojada en el ácido líquido no dejó huella en mí. Sin embargo, la ausencia, la distancia, el desamor, desvelarán lo escrito en todo su esplendor, mediocridad o inexistencia. Cuando la mano que manejó la pluma se encuentra lejos, y no la siento sobre mí, llega el fantasma de su no presencia con un candil. Y, a fuerza de desgarrar mi alma, de quemarme por dentro, sé que quiero a alguien, o qué sé yo. Es otra relación de dependencia: necesito estar lejos de la que duerme conmigo para cerciorarme de que quiero seguir soñando a su lado. Si no aparece ese fantasma, está claro:

nada me corroe, soy hielo que flota sobre el agua plácidamente.

No es fácil notar la textura del cariño en mi piel
cuando estoy cubierto por la miel de sus caricias. Lo físico
y lo espiritual se confunden en una bañera de agua tibia.
Es sencillo sentir calor, e identificarlo con algo más profundo, cuando su roce quema mis entrañas, cuando entro
en sus entrañas. Sin embargo, en el momento en que su
calidez corporal desaparece, se aleja de mí, sólo sabré que
la llama existe si aparece el fantasma del candil, con el
fuego de la ausencia doliente, de la desazón y de la
lágrima nacida de la chispa, e incendia mi corazón, la
noche y el día. Luego, cuando ella vuelva, el fantasma se
irá de nuevo y ya no veré el dibujo tatuado con zumo de
limón en mi corazón hasta su próxima ausencia, o hasta
que la llama, de tanto acercarse, queme ese amor y no la
necesite nunca más.

Los parroquianos que habitaban las pensión eran bastante curiosos. Aparte de María, Verónica y yo, también
vivían en las oscuras habitaciones otros personajes de muy
diferentes tipos.

Uno de ellos era el chino, Fumanchú, le llamá-
bamos. Nadie sabía cuál era su verdadero nombre,
porque el tío no hablaba ni una palabra de español. Y no
debía tener mucho interés en aprenderlo, porque, según
Manolo, llevaba ya ocho años en la pensión y no había
mejorado su vocabulario castellano en ningún aspecto.
Pero se explicaba de puta madre por señas, eso sí. Haría
un equipo cojonudo con el Titanlux para jugar a las pelí-

culas. Cuando te hablaba de algo, bueno, lo de hablar es un decir, porque no pronunciaba una palabra, todo su cuerpo adoptaba el aspecto de ese objeto. Y lo mismo con las personas. Fumanchú era un prodigio del mimetismo.

Trabajaba en un restaurante chino. Le tenían la mayor parte del tiempo encerrado en las profundidades de la cocina, al pobre, haciendo los trabajos más sucios que te puedas imaginar. Apenas cobraba, porque tenía que devolver el dinero que le prestaron para pagar su viaje de China a España. María y yo fuimos un día al restaurante, en una de esas pequeñas temporadas de bonanza económica, y me lo encontré tirado en el servicio sacándole brillo a la taza del water. Me sonrió e inclinó su cabecita, muy simpático, el Fumanchú. Lo peor es que luego salió conmigo del servicio y vi como, sin lavarse siquiera las manos, se ponía a pelar zanahorias con la navajita con la que había estado rascando la mierda del suelo del retrete. La verdad es que no volvimos a ir a ese restaurante, y no porque nos cayera mal el chino, no.

Verónica nos hablaba siempre bastante bien de él. Era uno de sus clientes habituales, se lo recomendó a María y todo, cosa que no me hizo mucha gracia, porque una cosa es que se fuera por ahí con desconocidos y otra que se tirara al chino que me encontraba todos los días en el descansillo de las escaleras. Pero, según Verónica, era uno de lo más educados con los que trataba. Llegaba, se desvestía, doblaba su ropa y la dejaba cuidadosamente sobre una silla, se ponía un condón él mismo, empezaba a chingar, se corría enseguida, dejaba el dinero sobre la mesilla, sonreía, se vestía y se iba. Todo eso, una vez por semana. Un auténtico encanto, el Fumanchú.

Al día siguiente volvimos a ir al Ya'sta, y vimos a Julito sentado con Borja en nuestros sillones. Nos hicieron un hueco, amablemente, y nos sentamos con ellos. Estuvimos charlando varias horas, hasta que los dos se marcharon a casa de Julito. Se notaba que se le caía la baba al pobre hombre, o lo que fuera, por el chico del pelo hasta el culo. Era un poco triste, la verdad, porque también estaba claro que Borja pasaba bastante de él, que le consideraba un rollo pasajero, vamos. Cuando se fueron estuvimos hablando con Tino, el camarero, y él también pensaba lo mismo. «Sí, es una pena», nos dijo, «y lo peor es que Julito lo de que le dejen se lo toma muy a la tremenda. La última vez se pasó un mes sin salir de su casa…»

Otro día no pude contener mi curiosidad y le pregunté a Julito a qué se dedicaba. Yo pensaba que trabajaría en el mundo del espectáculo, en un cabaret o algo así, porque a un tío con su aspecto no le veía currando de contable en una oficina o alguna cosa por el estilo. Me contestó que ayudaba en la tienda de su madre, más que nada. Tenía una floristería y Julito trenzaba las coronas ésas que se ponen en las tumbas. «Joder, es un trabajo un poco siniestro, ¿no?», le comenté. A él no se lo parecía, decía que alguien tenía que hacerlo y que, después de todo, era bonito eso de alegrarles el eterno descanso a los muertos. Luego me explicó que su madre estaba bastante contenta con él, por aquello de que seguía el negocio

familiar, y que ya aceptaba mejor lo de su homosexua-
lidad. «Es mejor que tener un hijo muerto», solía decir la
mujer, muy delicada, ella.

Últimamente, cuando me encontraba con Carlos,
nuestras conversaciones duraban dos minutos, como
mucho. «¿Qué tal?» «Pues ya ves, tirando... ¿Y tú?» «Más
o menos lo mismo». «A ver si quedamos algún día». «Sí,
claro, que hace mucho que no hablamos».
Entre Facundo y Elena le tenían bastante absorbido.
Bueno, y el caballo un poco, también, como a todos.

No sé cuándo me di cuenta de que quería a María. La
verdad es que yo nunca había querido a nadie. Bueno, a
Carlos, a lo mejor, pero aquél era un rollo bastante distinto, algo más fraternal, por decirlo de alguna forma. A
mi familia no la quería, para qué engañarnos. No me gustaban. Y las otras tías con las que estuve antes me habían
resbalado bastante. Eran como el fuego de una cerilla: se
apagaban enseguida. María era más como un mechero: si
mantenía el dedo apretado, la llama seguía flotando en el
aire. Sólo faltaba saber cuánto tiempo duraría el gas.

Tengo un montón de deseos enterrados bajo mi cama.
Y no me atrevo a sacar ninguno de la oscuridad porque
temo que la luz los haga invisibles para siempre. Y
entonces ya no me quedaría nada, ni siquiera los deseos
enterrados bajo la cama.

3

LA vida seguía. María seguía con sus cosas, qué se le va a hacer, tampoco era por gusto. Y seguía dándole al caballo porque, claro, no le vas a pedir que lo haga serena. Y yo seguía también con el polvo. Sólo pensar en estar con la mente despejada mientras María alternaba con esa gentuza, con esos cabronazos que mala madre los trajo al mundo, pues qué quieres que te diga, como que me ponía enfermo, que no lo llevaría muy bien, vamos. Y la vida seguía.

A lo mejor fue por eso por lo que me di cuenta de que quería a María, por cómo se me retorcían las entrañas sólo de imaginar que tuviera que tocar a otro tío. Aunque, bueno, antes de que empezara con sus cosas yo ya la miraba de un modo distinto, la verdad.

Ella vende vida. Más vida de la que puedo comprar. Ella vende brillos de noche y comida para gatos. Vende sonidos de ciudad. Más de los que soy capaz de escuchar. Y yo quiero hacer un contrato profano, sin firmas, y ella no me deja salir a comprarlo, quiere seguir siendo libre. Porque quiere vender más. Porque necesitamos que salga a vender más. Y no puedo competir con la necesidad, dependo de su libertad.

Yo continuaba buscando trabajo. Pero ya te he contado las dificultades con que me encontraba. Y eso que aún no tenía demasiada pinta de pincharme. Pregunté en todos los bares de Malasaña, uno a uno, si necesitaban un camarero, o un chaval que les limpiara el local, o algo. Y no parecía que fueran buenos tiempos para buscar trabajo, porque no encontré nada. Al fin, el dueño de uno de los bares me dijo que creía que estaban buscando a alguien en un Sex-Shop de Gran Vía. Bueno, algo es algo, así que me fui para allá. Efectivamente, necesitaban a un tío que limpiara las cabinas del Peep-Show entre cliente y cliente, porque habían ampliado el local y el viejo que lo hacía hasta entonces ya no daba abasto. Al parecer, el negocio iba bien.

El trabajo no podía ser más repugnante, qué quieres que te diga, pero pensé otra vez en las pollas de todos esos tíos que iban por ahí con María y acepté. Si yo ganaba dinero, ella podría dejar sus cosas. Empecé ese lunes y, al principio, no lo llevaba tan mal. Hombre, era asqueroso eso de tener que fregar el semen de los guarros que venían a ver despelotarse a una tía a través de una rendija, pero por lo menos conseguía pelas, que era lo importante. El problema fue la náusea. Sí, porque, poco a poco, se me fue acumulando una náusea, desde las tripas hasta la garganta. Cuanto más fregaba, más náusea se me acumulaba. Y al séptimo, día, el domingo, porque este sitio abría todos los días, no aguanté más, la náusea me dijo que quería salir y qué le iba a hacer yo, son cosas que no puedes evitar. La náusea se transformó en un vómito terrible, te lo juro, una cosa horrible que le regó la camisa a un tipo bajito que acababa de salir de la cabina que me tocaba fregar. El asunto no hubiera ido a mayores si el enano ése no se lo hubiera tomado tan mal y, sobre todo, si no fuera el cuñado del dueño del Sex-Shop. Total, que me encontré sin trabajo y sin dinero en un abrir y cerrar de ojos. Ni siquiera me pagaron por la semana que estuve fregoteando las cabinas, ya que el período de prueba duraba un mes, y en una de las cuatrocientas cláusulas del contrato que firmé ponía que si antes de ese tiempo demostraba una «incompetencia manifiesta», perdería el empleo y no tendría derecho a salario ni compensación alguna. Y todo por una náusea de nada.

Otro de los habitantes de la pensión era Paquiño, el ciego. Se dedicaba a vender cupones en una esquina de Sol. Era gallego y se había tenido que venir de Lugo a Madrid porque allí el asunto de la ONCE no funcionaba muy bien. Se pasaba todo el día gritando eso de «son para hooooooooy», y tan a gusto. Era el único tío de los que vivían en la pensión que no utilizaba los servicios de la bella Verónica. Bueno, durante los primeros meses yo tampoco follaba con ella, pero fue algo que duró poco tiempo.

Esto de que Paquiño no fuera por ahí con mujeres, porque tampoco se le conocía ninguna otra puta o compañía femenina de algún tipo, se lo atribuimos en principio a la morriña, o a que a los ciegos no les interesaba el sexo, o qué sé yo a qué cantidad de chorrradas. Al final, una noche en que María y yo estábamos en vela por un mono desquiciante, escuchamos unos gemidos inequívocos procedentes de la habitación de Paquiño.

Asomamos nuestras cabezas por el pasillo de la pensión y, al cabo de unos minutos, vimos salir a Edu por la puerta del cuarto del vendedor de cupones. Edu era el dueño de una sidrería que estaba enfrente de la pensión, la competencia directa del bar de Manolo, vamos. Era un portugués gordo, feo y con gafas, casado y con dos hijos. «Joder, se nota que Paquiño es ciego», me susurró María, «no podía haber elegido a un tipo más horrible».

Uno de esos días tontos en los que no sabes qué hacer me fui con Verónica al bar de Manolo. Nos sentamos en una mesa del fondo, detrás de la columna espejada. María dormía en la pensión, porque había tenido una noche muy dura. Al entrar en el bar, Manolo nos saludó arqueando una ceja. Limpiaba la barra con una bayeta demasiado mojada. Las gotas se escurrían por sus gordos dedos, resbalaban y volaban hacia el suelo, que brillaba con inusual limpieza. Debía ser sábado o domingo, porque era la hora de comer y no se veía un solo obrero ocupando la barra o las mesas. Y como no había obreros, el bar estaba vacío, ya que los únicos clientes de Manolo, aparte de algunos de los inquilinos de la pensión, eran los obreros que trabajaban en la infinita rehabilitación de un edificio cercano. Teniendo en cuenta que la media de edad de dichos obreros era de sesenta años, el bar de Manolo parecía un establecimiento del Inserso.

—Deberías cerrar el local al público, –le dije a Manolo–, o pedirle a la gente que se tomara sus cosas fuera. Así tendrías siempre el bar tan limpio como ahora.

No se molestó en contestarme, ni en mirarme

siquiera. Metió otra ver la bayeta debajo del grifo, la empapó de nuevo, y vuelta a empezar: más goterones haciendo puenting desde la barra.

—Creo que realmente Manolo no entiende para qué sirve la bayeta —me dijo Verónica, escéptica.— Es triste pero, después de tantos años, aún no se ha enterado de que ese trapo amarillo se utiliza para absorber el agua, no para empaparlo todo.

—Será que antes se hacía así. Manolo está chapado a la antigua.

—No, no está chapado a la antigua, está chapado con la hojalata de una carraca, eso es lo que le pasa... Además, tampoco es tan viejo, ¿no?

—Tú sabrás, que le conoces mejor...

—Sin coñas.

—Tendrá unos cuarenta y pico años, supongo.

—No creas. No se le ve ni una cana. Debe ser por el bigote, y por su forma de ser, a lo mejor, por lo que parece tan mayor. Ya sabes, tan callado, tan paternal, tan severo a veces, con tan poca gracia contando esos chistes verdes del siglo pasado...

—Si fuera por su forma de ser tendría ochenta años, no cuarenta. Parece un muerto, detrás de esa barra, el cabrón.

—Joder, tú tampoco hables muy alto, que no eres precisamente un viaje en la montaña rusa. Hay días que te tengo que estrujar el brazo para asegurarme de que no eres un fantasma.

—Vivo un poco a mi rollo, ya lo sabes.

—...

Se hace un silencio incómodo. Trato de romperlo.

—Y tú, ¿qué edad tienes, Verónica?

—¿Tú qué crees?

—Queda mal eso de decirle a alguien los años que imaginas que tiene, ¿no?

—Y preguntarlo es de mala educación, no te jode.

—En general, es de mala educación decir cualquier cosa que piensas… ¿Te parece bien veintisiete?

—Joder, me acabas de amargar el día. ¡Veintisiete! ¡Pero si ni siquiera voy maquillada!

—Lo siento, Verónica, no sabía qué decir. Se me da fatal calcular edades.

—Bueno, dejemos el tema…

—¿Tienes muchos menos?

—Algunos… –la mirada se le pierde unos segundos en el vacío– ¡Veintisiete, dice el muy cabrón! Me has dejado de piedra. Debo estar volviéndome una patata arrugada prematuramente.

—Tranquila, tía, que tampoco es para tanto. Veintisiete años no es nada…

—Que me lo diga un crío como tú… Además, se dice veintisiete cuando se piensa treinta.

—¡Qué va! Yo no soy capaz de decir algo que no piense. No tengo filtro en la cabeza para eliminar comentarios inadecuados.

Verónica sonrió, se levantó de su silla y se dirigió a la barra. A los cinco minutos, volvió con una tortilla de patatas, un par de huevos fritos con bacon, dos cafés y un arsenal de bollos, tostadas y croissantes.

—Joder, ¿no te has pasado? –le dije.

—Es para ti también... ¿No sabes que el desayuno es la comida más importante del día?

—Bueno, eso de desayuno... Son más de las tres...

—El caso es que para nosotros es desayuno porque nos acabamos de levantar y aún no hemos comido nada. Anda, pilla lo que quieras, que yo invito.

—¿Y ese arranque de generosidad? ¿Tienes algún admirador que te mete dinero por debajo de la puerta?

—No, que va... He llegado un acuerdo con Manolo. Yo no le cobro el próximo trabajillo y él no me cobra lo que me tome en su bar durante los próximos días.

—Un intercambio de productos, vaya...

Verónica empezó a devorar la comida que relucía ante mis ojos. Era impresionante verla comer.

—Le vas a salir cara a Manolo... Con lo que comes y lo delgada que estás...

—El caballo no engorda, precisamente. Mírate a ti... Y como sólo de vez en cuando. Ni siquiera todos lo días.

—Pues deberías cuidarte un poco, que vives de tu aspecto. Como una modelo, casi.

—Sí, un modelo de virtud...

Cuando bajó María nos fuimos a pasear. Verónica se quedó en el bar arreglando sus cuentas con Manolo.

Recorrimos toda la Gran Vía hasta llegar a Plaza España. Sentados en uno de los largos bancos de piedra que rodean la fuente de las lavanderas, contemplamos una especie de actuación de un grupo de chavales. Habían montado un escenario delante de la estatua de Don Quijote y Sancho, y cantaban canciones religiosas, al estilo de aquéllas que tocábamos Carlos y yo en el metro. Pero ellos se tomaban en serio todo eso del amor divino y el cielo y el perdón. Un gran grupo de gente, la mayoría jóvenes, saltaba delante del escenario, coreando las canciones y dando palmas. Parecía una secta cristiana, o algo así. María se volvió hacia mí y me dijo: «Nunca te lo he preguntado. ¿Tú crees en Dios?» Me encogí de hombros. «No creo en él, pero sé que existe y que a lo mejor me mira», contesté. «¿Cómo que no crees en él pero sabes que existe? Si sabes que existe deberías creer». «También sé que existen los políticos, y tampoco creo en ellos».

Cada vez estoy más convencido de que el mundo funciona como una partida de parchís. No es una broma. Es una teoría bastante científica. Cada uno de nosotros somos una de esas fichas redondas y planas. Al principio, nos encontramos en un lugar seguro del que, más tarde o más temprano, tendremos que salir. Es nuestro hogar, allí vivimos con nuestra familia a salvo de cualquier peligro, pero debemos abandonarlo para empezar nuestra verdadera vida. Hay gente que tiene suerte y consigue salir antes. En el parchís, sacando un cinco. En la vida, encontrando un buen trabajo. Creo que es bastante más fácil lo del cinco que lo del trabajo. Una vez que estamos fuera, empieza la carrera. Corremos el peligro de que llegue cualquier otro y nos pise, y entonces tendríamos que volver a empezar. Pero también contamos con la ayuda de las fichas de nuestro color, nuestros amigos, nuestra familia. El resto tratará de jodernos, de llegar antes que nosotros. Es una carrera de velocidad, en la que el final es inevitable. Hay veces que tanteamos varias veces la muerte de la partida, como rebotando, antes de llegar a ella. Todos sabemos que el juego va a acabar, y tratamos de ganar, claro, pero, en el fondo, nos da pena que se termine. Creo que el planteamiento del juego es bastante cristiano, porque se asocia ese final con algo bueno, con el triunfo. Llegar a la última casilla con todas tus fichas es algo así como alcanzar el cielo una vez acabada la vida. Y la muerte de nuestra ficha cuando es devorada por una de las enemigas parece una especie de reencarnación porque, tras esa muerte, aparece otra ficha heredera suya que comienza su vida desde el principio. Existe un dado que es el que ordena los movimientos, el que hace que uno gane y otro pierda, porque sin suerte en el lanzamiento del dado no se puede ganar al parchís. Al dado, ése que dicta el comportamiento en todos los jugadores, algunos lo denominarán Dios, otros dirán que es Azar, y el resto lo llamaremos Destino.

Había otro, bueno, otros en la pensión. Por ejemplo aquél, el borracho, un tipo al que siempre me encontraba tirado sobre las escaleras todo pedo. Le llamaban el Marqués, por sus hermosos trajes de marca y por la clase con que los servía de percha. Decían que había sido un hombre importante en otro tiempo, uno de esos hombres que lleva el timón de la vida de muchas personas. Pero un día lo perdió todo, yo espero que fuera por una mujer, y se quedó pobre como una lagartija. Una tarde en la que, para variar, me lo había encontrado tirado sobre las escaleras todo pedo, lo subí a mi habitación conmigo.

Cuando se sentó en mi cama, el Marqués empezó a hablarme de política, un tema que odio porque no entiendo, porque me parece muy sucio, porque me parece el arte del engaño, un oficio para putas de lujo. Me dijo que lo peor del poder no es que queme, eso es tan natural como que arda una cerilla al contacto con una llama. Lo peor es que engancha y, entonces, aunque estés completamente quemado, sigues queriendo tenerlo. Aunque tu aspecto sea el de un ninot no indultado, aunque parezcas un monstruo desfigurado por el fuego, tú sigues haciendo todo lo posible por seguir por encima de los demás, por continuar en la cima. Eso era lo peor del poder, la relación de dependencia que se establecía con él. Cuando terminó de decir esto, el Marqués se levantó de mi cama, me dio las gracias por acogerle unos minutos y se marchó a su habitación a terminar una botella de vino que tenía medio empezada, porque, según Verónica, el Marqués era un tío que siempre acababa las cosas que empezaba.

LOS OJOS NO SABEN MENTIR.

Los ojos del ciego son los besos de la puta. Las manos del borracho no saben mentir. Piensa en mañana. Si el mundo girara al revés, la vida seguiría igual. La puta seguiría besando al infinito, el ciego seguiría mirando al infinito. Y las manos del borracho seguirían temblando delante de nuestras miradas delatoras como las hojas de un tormentoso sauce llorón. Los ojos del ciego son inservibles. No dicen nada porque no pueden decir nada. La puta besa por dinero. Sus besos van al cielo vírgenes de amor. Tampoco quieren decir nada. Nadie quiere a un borracho, a un ciego o a una puta. Y si mañana el mundo girara al revés, seguiríamos ignorándoles, como el recién nacido ignora el dolor del parto. Nuestra felicidad se construye sobre cimientos de dolor ajeno. Porque si duele en la piel de otro no duele en la tuya. Y a casi nadie le gusta el sufrimiento gratuito, el sufrimiento sin razón. El sufrimiento de la puta, del ciego, del borracho.

Esa noche subí con María a la azotea del edificio de la pensión. Manolo nos había explicado cómo acceder a ella, a través de oscuros pasillos y estrechas escaleras, para tender nuestra ropa mojada. Subimos allí para encontrarnos con la vida. Y, en un momento dado, después de que la vida entrara por nuestros cuerpos y nos hirviera la sangre, llegó un fuego fatuo, mágico y rabioso, que nos llevó lejos. Se hizo carne, se hizo deseo y se apoderó de nosotros. Y esa noche follamos en la azotea, envueltos por un fuego invisible que no quemaba, cubiertos por un cielo repleto de estrellas atónitas.

María entró por la puerta de la habitación, puso un viejo tocadiscos sobre la mesita del cuarto y salió. Volvió a entrar al cabo de unos minutos con un amplificador y unos baffles. Durante media hora enganchó entre sí cientos de cables pelados. Al fin, sacó un disco de su funda, lo puso sobre el giraplatos, lo pinchó con la leve aguja, le dio a un botón y se sentó en la cama a mi lado. Y ya teníamos música.

«¿De dónde lo has sacado?», le pregunté. «Soy bruja y

puedo hacer aparecer cualquier objeto viejo e inútil».
«Bueno, por lo menos éste funciona». «Es que es mi gran
logro como bruja».

A la mañana siguiente fui al bar de Manolo a tomar
un café. Me puse a ver la tele. Había un programa de
sucesos absurdos y aburridos. Estaba a punto de irme,
cuando reconocí a un personaje muy familiar en la
pequeña pantalla. Vi a un hombre colgado de la baran-
dilla del balcón de un quinto piso, amenazando con
tirarse si alguien se acercaba. Desde el suelo le miraban
fijamente decenas de personas. Unos eran policías, otros
bomberos. También se veía a varios enfermeros alrededor
de una ambulancia. El resto eran espectadores anónimos,
atraídos por el morbo de contemplar en directo a un
hombre que decía que se quería quitar la vida. La cámara,
en un alarde técnico, se acercó al suicida hasta mostrar en
primer plano el nítido rostro de un hombre pequeñito,
con el pelo al dos teñido de rubio platino, con las cejas
hiperdepiladas y un aire de locaza impresionante. Era
Julito, el marica. Borja le había dejado y, como anticipó
Tino, no se lo había tomado muy bien.

No es la muerte algo lejano, un punto en el camino.
No es un lugar al cual vamos a parar. La muerte soy yo,
está en mí. Me rodea, está a un segundo de mi alma, de
las yemas de mis dedos. La puedo sufrir. Puedo sumer-
girme en ella unos instantes y luego salir. La muerte flota
en el aire, y ni siquiera se esconde. Yo puedo verla, si
aguzo mis ojos, en la sombra de una vieja que apenas

puede caminar, en el llanto de un niño que se cansa de jugar. La muerte está en mi ventana, en el cielo. No es fácil de esquivar. La vida de mi ser, de todos nuestros seres, lucha desde el corazón contra ella, que se pega como mermelada fresca. Es un combate continuo de mi vida por evitar que me encuentre con la muerte. Ésta trata de introducirse en aquello que llamamos alma, pero aún tengo agua fresca en mi interior para apagarla. Sin embargo, cuando las fuerzas mengüen y mi alma envejezca, llegará un momento en el que no podré soportar el peso que la muerte carga sobre mí. Y moriré. Será el triunfo del tiempo, del paso del tiempo. Porque la muerte está en el ambiente, en la atmósfera, en el nitrógeno que entra en mis pulmones junto al oxígeno. Es algo que pertenece a la vida misma, que no se puede separar de ella. Es el grito final, el perro que da vueltas a tu alrededor antes de morderte. Pero también es la paz, el descanso del guerrero. El final para todos los problemas. Creo que no hay existencia antes del nacimiento ni después de la muerte. No creo en reencarnaciones, cielos o infiernos. No hay más que lo que veo. El hombre es sólo un animal que acabará siendo devorado por gusanos o uniendo sus cenizas al polvo de la tierra. Algunos dicen que el alma es inmortal. Entonces es cuando habría que confesarles que el hombre no tiene alma. Lo que tiene es un pequeño cerebro que, poco a poco, desde tiempos inmemoriales, se ha ido rellenando con ideas éticas y morales inventadas por el propio hombre. No creo en el origen divino de las leyes o de las ideas. Son sólo convenciones ancestrales que tratan de proteger nuestras vidas de nosotros mismos y de los otros hombres.

El sol llevaba ya varias horas sobre el horizonte, pero yo seguía durmiendo. La mano de María agitó mi hombro. «Mira lo que te he traído», dijo, muy contenta. Abrí los ojos y vi una camisa de rayas. «La he comprado en la tienda de Elena. Pasaba por allí y entré a ver qué tal le iba. He pensado que después de estar un mes viviendo en su casa no es lógico que seamos tan desagradables con ella. Bueno, pues eso, que estaba hablando con Elena, cuando he visto esta camisa colgada de una percha, y me ha parecido tan bonita que no he podido resistirme a comprarla. Como es de segunda mano, me ha salido muy barata. ¿A que es chulísima?» «Una preciosidad». María no paraba de reír. No sé si iba completamente colocada. Yo diría que sí, porque tampoco es para ponerse así por una puta camisa. Me levanté de la cama y busqué por el suelo mi vieja camiseta, pero no había rastro de ella. «Oye, María, ¿has visto mi camiseta negra?» «Ah, sí, bueno, la he tirado a la basura al volver de la tienda de Elena. Total, estaba hecha un asco, toda llena de agujeros, y como ahora tienes una nueva, ya no te ibas a poner esa birria…» Me acerqué a María, la besé con la suavidad con que se debe besar a los locos, me di la vuelta, abrí la puerta de la habitación y bajé tranquilamente a buscar mi insustituible camiseta negra entre la basura. Al abrir el contenedor no vi nada parecido a una camiseta. Lo único que había dentro era un punki trasnochado con la cresta naranja: el Tintalux.

Resulta que Elena, al fin, se cansó de él y de Abundio, el rasta, y les echó de su casa. Parecía lógico. Abundio se perdió Dios sabe dónde y el Titanlux llevaba unos días durmiendo en la calle. Esa noche, unos skins de no más de dieciséis años le habían encontrado sobado en el suelo y le habían pegado una paliza que terminó con el cuerpo del Titanlux dentro del contenedor. La verdad, acostumbrado a su desastroso aspecto, tampoco se le notaban demasiado los golpes de esos hijos de puta. Le acompañé hasta un hospital para que le miraran un poco las magulladuras. Él decía que estaba bien, que sólo le dolía un poco la pierna. Después de una hora de hacer memoria, el Titanlux se acordó de su verdadero nombre y, milagros de la vida, estaba afiliado a la seguridad social. Cuando nos fuimos del hospital, mi amigo me comentó que se debía haber confundido de nombre, porque a él no le sonaba eso de estar afiliado a algo. Al final, el resultado de la paliza fue una escayola enorme que enderezaba una pierna rota y tres o cuatro puntos desperdigados por varios cortes en la cara.

El inesperado encuentro con el Titanlux propició mi decimoquinto intento de sacar a María de la calle ganando algo de dinero. El ahora renqueante punki me contó que había encontrado hacía unos días un negocio muy guapo. Resulta que en Argüelles, en una calle paralela a Alberto Aguilera, había un estanco que no tenía cristales de seguridad para separar al estanquero de los clientes. Debía ser el único en todo Madrid que todavía no los tenía. Se enteró también de que lo llevaba un viejo medio cojo que no se pispaba de nada. El viejo hacía caja una vez por semana, exactamente los viernes después de cerrar, según un colega del Titanlux. Así que si atracabas el local el viernes por la tarde, te podías llevar un buen pellizco. Y no parecía algo difícil, teniendo en cuenta las nulas medidas de seguridad. El Titanlux me dijo que necesitaba a un tío que le cubriera las espaldas, alguien que esperara en la puerta por si acaso llegaba un cliente al estanco. Me aseguró que iríamos a pachas. Y acepté. Hombre, yo sé todo eso que me decían en el cole de «no robarás», pero la vida está muy perra y, total, seguro que el viejo ése del estanco tenía millones metidos en una cuenta corriente. Por perder las pelas de una mísera semana no se iba a morir de hambre. Además, se me volvió a aparecer en la cabeza el ejército de pollas que perseguían a María, y eso ya fue decisivo para tomar mi decisión de convertirme en un sucedáneo de atracador de bancos.

El golpe sería, según Titanlux, ese mismo viernes. Yo le dije que podíamos esperar a que se le curara la pierna, pero él ya ni se acordaba de que le habían pegado una paliza.

No le conté a María nada de lo del atraco, por aquello de que no se preocupara. Ella seguía recorriendo calles oscuras con Verónica. Pero sería por poco tiempo, me decía a mí mismo. Al fin, llegó el viernes. Titanlux y yo nos metimos un pico cada uno para ir más entonados, y salimos hacia el estanco.

Julito, el marica, no se tiró finalmente desde el quinto piso, como puedes suponer. Yo creo que no tenía valor para ello. Eso sí, estuvo tres días enteros ahí arriba, sin comer, ni nada, con la tele enfocándole y la policía rogándole que bajara. Los bomberos pusieron una sábana enorme de ésas que sirven para coger a la gente al vuelo, como la red de un circo aguardando el fallo del trapecista. Y su madre, pensando ya en lo peor, le trenzó una corona funeraria muy hermosa en la que ponía «Julito, no te olvidamos». Y llamaron a un psiquiatra, y todo, que le empezó a hablar a Julito a través de un megáfono. Pero el mariquita abandonado sólo gritaba «que me tiro, que me tiro», con voz muy chillona. El país entero estuvo pendiente del suicida por amor. Su madre fue a hablar al programa de Nieves Herrero, repitió allí lo de que era mejor tener un hijo marica que uno muerto, e hizo un llamamiento muy emocionante a Julito desde la pequeña pantalla para que no se tirara. La pobre mujer no se daba cuenta de que Julito estaba agarrado al balcón de su casa, mirando al vacío, y no podía ver la tele. Al final, las cosas no se arreglaron hasta que no apareció Jesús Puente con la caravana de «Lo que necesitas es amor» diciendo que tenía un mensaje de Borja, el chico que había provocado la tragedia. Julito, que era seguidor incondicional del programa, dijo que Borja ya le importaba un pimiento, pero bajó para conocer en persona a Jesús Puente. A mí ya me había comentado antes de toda esta historia que le daba morbazo su calva. La bajada fue muy espectacular, yo la vi en el telediario de la primera cadena, por ver si atribuían el mérito del rescate al gobierno. Los bomberos pusieron una escalera larguísima, que daba vértigo sólo mirarla, y Julito la tuvo que bajar en brazos de un robusto bombero, entre grititos histéricos. La niña que nació con pito repitió una y mil veces antes del arriesgado descenso que prefería bajar por el ascensor, que no hacía falta el numerito de la escalera, pero Ramón Sánchez Ocaña, en una conexión en directo desde los estudios de Antena 3, aseguró que era mejor no dejarle bajar solo, porque a un suicida se le podía cruzar un cable en cualquier momento y tirarse por el hueco del ascensor. Así que Julito llegó al fin al suelo, y toda la calle explotó en un inmenso aplauso, y Julito se abrazó a Jesús Puente, y a su madre, y al bombero, y a Nieves Herrero, y a los del «Qué me dices», y a Carmen Sevilla, que hizo una emisión especial del Telecupón con Julito colgado del balcón como decorado, y hasta a Rociíto y Antonio David, que pasaban casualmente por allí de vuelta de su luna de miel.

Llegamos al estanco, y las cosas no funcionaron como estaba previsto. Entró el Titanlux, pidió un sello de cinco pesetas, el estanquero se dio la vuelta para cogerlo y, justo cuando el punki iba a sacar la navaja tamaño Torres Kio que le había dejado Carlos, apareció un tío por la puerta. Yo silbé desde el umbral, el Titanlux se cagó en la puta, pagó su sello y salió del estanco. Esta operación se repitió por tres veces, ante el mosqueo del dependiente. «¿Es que no sabe cuánto le cuesta exactamente mandar la carta, o qué?», le preguntó después de venderle el tercer sello. Cuando salió otro de los compradores de Fortuna que nos estaban jodiendo el robo, Titanlux me dijo que esta vez era la definitiva, que si intentaba entrar alguien le detuviera con cualquier excusa. «Déjeme que lo adivine: un sello de cinco», dijo el estanquero, con cara de mala hostia, cuando Titanlux entró por cuarta vez. «No, mejor me da todo lo que tenga en la caja», respondió éste, sacando el inmenso bardeo. En ésas estábamos cuando llegó una señora a la puerta del estanco. En el momento en que le iba a decir la gilipollez de turno para que no entrara, la miré a la cara y la reconocí. ¡Hostia, era mi madre! «¡Ay que me da algo! ¡Eres tú, hijo, eres tú!», gritó petrificada al verme. Yo me quedé bocas y no podía decir palabra. En el preciso instante en el que estaba mascullando un confuso «no le digas a nadie que me has visto y vete de aquí», escuché un disparo dentro del estanco. Giré la cabeza, vi la navaja de Titanlux en el suelo, al punki con la cara congestionada y las manos en alto y al estanquero apuntándole con una escopeta de matar elefantes. «Ése ha sido al aire, pero si mueves un músculo el próximo te lo meto en las tripas», dijo el viejo. «Y tú, el de la puerta», añadió, «entra, que sé que ibas con él». Empecé a andar hacia el mostrador, preguntándome por qué no me habría dedicado a recoger cartones, cuando mi madre empezó a hablar. «Pero, don Matías, cómo va a ir mi hijo con ese macarra, con ese criminal...» «¡Ah, perdone, doña Esperanza, no sabía que era su hijo...! Es que le he visto antes hablar con este punki impresentable y pensé que estaban compinchados...» «Le estaba pidiendo un cigarro», dijo rápidamente el Titanlux, que será un desastre como atracador pero es un colega de puta madre.

Al cabo de un rato llegó la policía y se llevó al Titanlux. Creo que el pobre hombre sigue en Carabanchel, porque le buscaban por más movidas por el estilo. Le he ido a visitar un par de veces, y está un poco de bajón porque en el trullo no le dejan ver Barrio Sésamo.

Yo tardé un buen rato en desembarazarme de mi madre. Me decía que volviera a casa con ella. Al final, la convencí de que no hacía falta, que ahora vivía de puta madre y tenía una casa muy bonita y un trabajo honrado. Le di las señas del piso de Elena y le dije que me visitara cuando quisiera y, que si yo no estaba, por lo que fuera, que se quedara un rato hablando con Carlos, esperando a que yo volviera. No lo hice por mala hostia, es que la mujer me insistió tanto que no pude evitarlo. Antes de despedirnos, le pedí algo de dinero para comer, porque, claro, me había dejado la tarjeta de crédito en el trabajo. Cuando mi madre, al fin, se despegó de mi espalda, me fui al Dos de Mayo a pillar un poco de caballo con sus pelas.

Verónica me contó lo coñazo que era tener que hacer que se lo pasaba bien cada vez que follaba con alguno de sus clientes. A todos les tenía que asegurar que follaban como Dios y jurarles entre gemidos que nunca disfrutaba tanto como cuando estaba en la cama con ellos. Me confesó que todos se lo preguntaban ansiosos, que si ella no fingía un orgasmo ellos no se corrían nunca. Así que, para agilizar los trámites, montaba el numerito cuanto antes y así el rollo duraba menos. Lo curioso es que los muy pardillos se lo creían todo. «Es que los tíos sois gilipollas», me dijo riéndose, «estoy segura de que a ti también te engañaría».

Esa noche, cuando iba a entrar en la pensión a meterme un pico, me encontré a Verónica en el portal con uno de sus clientes, un moro muy alto que vendía pañuelitos de gasa en el metro. Subimos los tres las escaleras y, en el momento en que abrí la puerta de mi cuarto, que era contiguo al de Verónica, ésta se giró y me dijo al oído «escucha ahora, ya verás cómo te lo crees todo». Yo entré en mi habitación y, tumbado sobre la cama, comencé a disfrutar del recital vocal de Verónica.

Verónica está despegando. Verónica gime. Verónica sobrevuela el mar. Fíjate en su abrigo y su sombrero. Me deslumbran como la luz del sol reflejada en un trozo de hojalata caliente. Se los quita y aparece un cuerpo con el mismo brillo de metal. ¿Está hecha de plata, o de estrellas caídas de una nube loca que cantaba canciones de amor? Un cohete baila con ella, como el Cascanueces sembrando su semilla en tierra estéril. Sus ojos de cielo nuboso son la fuente donde nadan los peces del pecado.

Verónica está volando. Verónica grita. Verónica va a aterrizar. Observa cómo toca el suelo con la punta de sus dedos, deslizándose sobre la colina como un felino en la sabana. Corre por los campos, pisando la hierba que trata de crecer debajo de sus zapatos, arrancando la yedra amorosa que intenta rodearla. Verónica corta flores blancas para adornar su cabello. No le importa que las flores sangren como los humanos. Lame su savia moribunda. Verónica busca un perro, porque quiere sentir cómo alguien se alimenta en sus manos. Y gira sobre sus pequeños piececitos. ¿Quién no pagaría por besarlos?

Verónica ha aterrizado. Verónica sonríe mientras recoge sus verdes frutos. Verónica no sabe lo que es el amor. Es sucia y vital como un condón usado.

4

EL amor sigue sin estirarse, y yo quiero que se estire, y no me parece chulo lo que estoy haciendo ahora, más bien me parece mogollón de sucio, pero es que el amor no se estira, no podemos fiarnos del amor, el amor nos engaña y un día decimos que no y al otro que sí, y al siguiente que amamos y al otro que no, y todo esto después de haberme metido un pico o dos, y no sé por qué lo digo porque el raciocinio de un hombre es igual después de una sesión de psicoanálisis que después de una sesión de pura vida. Sigo buceando en la enorme incógnita, ya sabes, la de si debería seguir moviendo el culo o serle fiel a María, mi pequeña María, mi querida María que nadie quiere excepto yo. Y yo la quiero porque sé que es la mujer de mi vida, porque es mi Virgen María. Porque, aunque algún día descubramos, ella o yo, que nuestros caminos son diferentes, el Destino, ¿te acuerdas de él?, me dirá que estoy hecho para María, porque sé que, en el fondo, mi amor es para ella y no lo puedo evitar, y me cago en la puta por pasar estos momentos oscuros con Verónica, porque mi verdadero amor es María, y mira que me jode decirlo, sobre todo estando todo colocado, estando todo colocado y con las piernas de Verónica enredándose en las mías, y el amor unta y qué bonito es que el amor unte porque te hace las cosas mucho más difíciles, y lo siento en el alma por María porque la quiero, bueno, no es que la quiera, es que la adoro, y, entonces, ¿qué cojones hago follando con Verónica?, pues coño, lo que hago es ser yo mismo porque mi única característica personal es no tener juicio, ni conciencia, ni sentido del deber.

Y qué bonito es el amor, que unta, porque unta mogollón, y qué bonito es el unte mercenario del incienso que huele a mierda y de la polla que huele a orgasmo. Y qué hermoso el lugar que ocupa una especie de amor encima de otra, o debajo, o qué sé yo, o qué me dice la vida, o qué no me cuenta, o qué me dice el enorme sentido del deber, y te quiero, y no te quiero, y te echo de menos, y quiero follar contigo, pero sólo por tocar mi barriga desnuda con la tuya, y también te quiero a ti, Verónica, y sé que también soy el único, y no te muevas ahora, y así está bien, pero entonces es cuando empieza a sonar la jodida canción, ya sabes, la de lo siento pero no te quiero, pero la más terrible es la otra, la que dice que sí te quiero, por qué me tengo que sentir tan mal escuchándola, y qué más da lo demás… Amén. Jesús. Y la vida es una mierda que se enreda en la suela de tus zapatos.

LA ADICCIÓN.

Juego solo. Adivina con qué. Juego solo. Sabes con qué, ¿verdad? Un dios está fluyendo de mi corazón enfermo. Mi Dios está ardiendo en un corazón extraño. Y veo que me hundo.

En esta caída, subamos a agitar la línea roja con vida

blanca. No sabes dónde estás. ¿Tú qué opinas? Yo necesito hacerlo otra vez.

Algunas horas después sigo con la cabeza sumergida en una tormenta. Los pies de mi alma caminan sobre piedras. Nunca volveré a andar por ese camino, lo juro. No mientas. Aún necesitas hundirte en el lodo para sentirte arriba del todo. Para sentirte vivo del todo.

Quiero vivir tan cerca del infierno que su aura ardiente chamusque mis pestañas, me queme entero. ¿Es de noche o estamos en el infierno? Quiero arder en las calderas de Pedro Botero y oler la esencia de la maldad, de la honestidad. ¿Es ésta la vida o hemos muerto? ¿Seguimos vivos o estamos en el infierno?

Yo sueño a menudo. Hay gente que cuando duerme no tiene tiempo para soñar porque está obsesionada con descansar. A mí, como duermo mucho, me da tiempo a todo.

Anoche soñé que estaba sentado en lo alto de un montón de arena en un lugar desconocido. El sol del mediodía me cegaba. De pronto, una estrella se desprendió de su luz y cayó en la tierra. Era María. Comenzó a caminar por el suelo asfaltado, silenciosa como el humo, hasta que dio con mi montón de arena y me pidió que bajara. Yo la obedecí y, cuando llegué a su lado, me dijo que subiéramos los dos juntos. Escalamos hasta alcanzar la cima de mi montón de arena y, una vez allí, me arrancó un gemido del alma con sus dientes, simplemente porque quería escuchar mi trémula voz. María me habló de cosas

crudas y reales que no me gustaron. Lloré hasta el ano-
checer. Entonces, ella me aseguró que me enseñaría a teñir
el cielo de rojo. Chasqueó los dedos. El sol se hizo fuego
en el horizonte. Y yo lo creí todo. María dijo que a las
estrellas fugaces no les gusta la noche, porque están con-
denadas a vivir en ella. Me besó y voló para reunirse con
la luna.

Luego están los sueños absurdos, como el de hace
unos días. Fue agotador. Anduve durante horas por calles
infinitas. Los pies me dolían, me explotaban. Al fin paré,
me miré los zapatos y me di cuenta de que los llevaba
puestos al revés: el zapato derecho en el pie izquierdo y
viceversa. Fui a quitármelos para ponérmelos bien y que el
dolor cesara. Pero resulta que no recordaba cómo se des-
hacía el nudo de los cordones. Y tuve que seguir andando
con esa tortura mordiéndome los pies.

Los sueños no los entiendo mucho, no sé si quieren
decir algo. En todo caso, ahora me fijo más cada mañana
al ponerme los zapatos.

Nos encontramos a Paquiño, el ciego, vendiendo sus
clásicos cupones en Sol. Le saludamos, y reconoció
nuestra voz. Sonrió, metió la mano en el bolsillo de su
chaqueta, sacó un papel y nos lo enseñó. Era el cartel de
la actuación de un grupo de soul en el Jazz Madrid ese
mismo fin de semana. «Yo soy el cantante», dijo Paquiño
con su acento gallego cosido a la boca. Nos pidió que
nos pasáramos, que era la primera vez que tocaban en
directo.

Yo no me imaginaba a Paquiño cantando soul, pero

fuimos, por aquello de hacerle un favor. Bajamos las esca-leras del Jazz Madrid hasta llegar al último sótano a eso de las doce y media. Había bastante gente. Paquiño y los suyos eran los teloneros. No se puede decir que fuera un grupo muy numeroso. Estaba un tipo con unos bongos al fondo, otro con un órgano pequeñito a la derecha, y el ciego con un micrófono a la izquierda. Al cabo de unos diez minutos de ajustar amplificadores, empezó la actua-ción. Los bongos y el órgano no sonaban demasiado mal. Y Paquiño se puso a cantar. Joder, era impresionante. Tenía una voz que se comía la sala, una voz magra, ras-gada, fuerte pero suave al mismo tiempo. La canción era una de Otis Redding, una de ésas con muchas subidas y bajadas de tono. Cuando terminaron la canción, todo el mundo aplaudió a rabiar. Paquiño y sus dos acompa-ñantes se levantaron, desconectaron sus instrumentos y se fueron, a pesar de que la gente pedía más.

Al día siguiente, cuando le vi en la pensión, le felicité por la actuación. «Ha sido cojonuda. ¿Por qué no habéis tocado más?» «No sabemos más canciones», me res-pondió, sonriendo. Me explicó que a él sólo le interesaba cantar esa canción, que era lo único que quería. La escuchó por primera vez en la radio, cuando era muy pequeño, allá en Lugo, en un programa horrible de Onda Media que solía tener puesto su madre. Le gustó tanto que ahorró para comprarse el disco, y desde entonces la cantaba a todas horas. «No te creas que al principio lo hacía como anoche, lo que pasa es que a fuerza de cantarla mi voz se hizo a ella, y acabó saliendo bien», me confesó. Le dije que debería dedicarse a cantar, dejar el rollo de los cupones, que de verdad, que lo hacía de puta madre. Pero él negaba con la cabeza. «No es más que un capricho que tenía desde niño. Además, ya te digo, sólo me interesa cantar esa canción. El resto de la música no me gusta. Si me dedicara a eso, sería como prostituir un sueño infantil. Y no quiero acabar con lo único puro que me queda en la vida».

Estaba sentado en el escalón del portal de la pensión, fumando un cigarro que pedí a una chica que pasó por aquí. Me lo dio toda asustada, temiendo tener que darme algo más. Yo sólo le había pedido un cigarro y fuego. Pareció aliviada cuando oyó mi seco «gracias» y me vio sentado de nuevo en el escalón.

El insulso Nóbel se acababa y no aparecía ningún pensamiento en mi cabeza. Me había dado de plazo hasta que se agotara la vida del cigarrillo para pensar algo que hacer. Últimamente no hacía nada positivo. Sólo respiraba y me arrastraba por ahí. Ya no buscaba trabajo, ni hablaba con la gente, ni nada. Ni siquiera trataba de ser amable con María, ni de escuchar lo que me decía. En realidad, no escuchaba a nadie. No me interesaba lo que me contaban. Tampoco me interesaba el sexo. «Ojalá pudiera follar con mi propia alma», pensé, «ella sabe lo que deseo, y yo lo que desea ella».

Hacía unas horas me había encontrado con Carlos en el Dos de Mayo. Yo estaba tumbado en un banco. Me contó varias historias sobre Facundo y sus drogas. No atendí, ni asentí a sus interpelaciones, ni pronuncié más que un vago «¿de veras?» A la media hora se despidió, con los ojos completamente idos, sin darse cuenta de mi desinterés. Y yo seguí tumbado en mi banco del Dos de Mayo.

La vida pasaba por delante de la puerta de la pensión. El cigarro había muerto. Un BMW amarillo descapotable aparcó casi a mis pies. Un coche precioso con un color horrendo. Sólo podía ser propiedad de un ciego o de un hortera. O de alguien con ambas minusvalías. De repente, apareció Verónica ante mis ojos. Los tonos ocres de su leve vestidito de gasa se fundían con el amarillo del deportivo. Escuché su voz desde lo alto.

—Hola, ¿qué haces aquí tan solo? —Su tono era tan irónico como una pistola de juguete en manos de Mike Tyson.

—Nada, —respondí.

—Pareces aburrido. O más bien muerto.

—Ya.

Me levantó con sus finos brazos. Yo estaba tan débil que no hubiera podido resistirme si hubiese querido. Verónica pasó las yemas de sus dedos por mi cara, mi cuello, mi torso. Siguió bajando. La agarré de las manos para que se detuviera.

—¿Qué pasa? ¿Que hoy no te apetece jugar?

No respondí. No la miré. Pasaba de ella.

—Eres como un niño. Un egoísta. —Dijo. Y se rió. Dios sabrá por qué, pero se rió.

Sus antebrazos seguían entre mis manos, y noté una línea abultada que atravesaba la cara interna de ambas muñecas. Las miré. Eran unas cicatrices, ya hace tiempo cerradas, en las que no me había fijado nunca. Pasé mi dedo índice por la cicatriz de su muñeca derecha, y luego por la de la izquierda. Verónica me miraba, divertida.

—¿Y esto? —pregunté.

—Pues ya ves... Una noche de insomnio en la que no encontré otra forma mejor de dormir... Había oído que sería como un plácido viaje en balsa por un río tranquilo.

—¿Y lo es?

—No recuerdo nada. —Y volvió a reírse, quitándole importancia.

—Pero no funcionó, por lo que veo...

—Los ángeles no sabemos morir —me dijo con una mirada ensayada, casi mística.

—¿Ahora eres un ángel?

—¿No te lo parezco?

Verónica giró en redondo, una vuelta completa, exhibiéndose ante mis ojos.

—A mí me recuerdas más a un demonio.

—Bueno, qué más da. Los demonios no son más que ángeles con sexo. —Y Verónica alargó su mano hacia el mío.

—Ángeles de carne y hueso, imagino.

—Ángeles más humanos, ¿no? —No retiró su mano, que me acariciaba, sabia.

—En el fondo, todos somos humanos, ángeles y demonios a la vez... Hay tiempo para todo.

—¿Y ahora te toca ser humano, por fin?

Cogí su mano y entramos en el portal de la pensión. Subimos las escaleras hacia su habitación. Ya tendré tiempo de ser ángel y buscar mi destino.

Los ángeles siempre me han parecido aburridos, carentes de interés. Veo en mi cabeza la clásica imagen de un querubín con peluca rizada y rubia, casi blanca, con túnica azul, un arpa en las manos y alitas de plumas. Pero nunca he imaginado, a pesar de mi visión tradicional, que el hombre pudiera acabar siendo así después de muerto. Me parecían una raza aparte, unas curiosidades de la naturaleza que vivían (porque creo en ellos) muy lejos de mi mundo. Eran demasiado buenos, demasiado extraterrestres para interesarme.

Sin embargo, a menudo he pensado que los demonios viven entre nosotros, que son gente como tú y como yo. Que cualquier día se cruzarán en mi camino. Que, de hecho, ya se han cruzado alguna vez. Les veo terriblemente rojos por dentro, oliendo a azufre y guardando su tridente en el armario ropero. Tuve una educación religiosa, y eso se nota en mi clásica iconografía mental.

Veo a los demonios más humanos que a los ángeles, sin duda. Y tremendamente más atractivos.

¿Y el hombre? El hombre está en medio. Todos somos, en principio, como una pizarra limpia. Poco a poco vamos escribiendo nuestra historia. Y en ella podemos comportarnos como ángeles o como demonios. No creo que haya gente con especial predisposición para ser demonios (y me llamarás ingenuo, lo sé) pero sí creo que la hay para ser ángeles. Quizá sea para compensar que ser demonio parece mucho más atractivo. Y lo es. Existe un especial y dulce sabor de boca que nos invade cuando quedamos por encima de otra persona sabiendo que nos hemos portado peor que ese pobre infeliz. El morbo de las malas acciones sin castigo. Sin embargo, los ángeles que intentar ser malos siempre acaban siendo torturados por la mala conciencia.

Cada acción que emprendemos es una decisión entre el mal y el bien. Puede parecer exagerado, pero nada es simplemente indiferente. No creo que ser malo sea más fácil que ser bueno. Todos esos relatos tan bíblicos sobre elegir entre el pecaminoso camino más corto y el largo y duro camino de la santidad, todos esos Cristos y Jobs, me parecen absurdos. Porque yo me esfuerzo por ser malo, por tratar mal a la gente, y me cuesta horrores, no lo consigo. Acabo siendo devorado como un pedazo de pan, siendo bueno hasta la saciedad. Ser ángel me sale espontáneamente. Y no considero que esto sea precisamente una cualidad, sino, más bien, una auténtica cruz.

María me dijo que había visto a Abundio, el rasta, vendiendo helados en un kioskillo del Retiro. Me contó que llevaba el pelo corto, que iba vestido como una persona normal, y que estaba con él una tía alta y grande que parecía su novia. Tan bocas me quedé que no pude evitar ir corriendo a comprobarlo con mis propios ojos. Efectivamente, ahí estaba Abundio dentro de una caseta de Camy, con el pelo corto peinado estilo Aznar, y vestido con una camisa de rayas y una pajarita bastante graciosa. Se alegró mucho de verme. Me regaló su flauta de plástico y todo, porque dijo que ya no la iba a utilizar nunca más. También estaba con él su nueva novia, Desdémona, una chica enorme, con las espaldas de un toro bravo. Decía que era medio inglesa. Es cierto que tenía una extraña forma de hablar, pero a mí me parecía más un acento extremeño mal curado o un frenillo sin operar que otra cosa. Abundio, el ex-rasta, se comportaba de un modo completamente distinto cuando Desdémona estaba delante. Se había vuelto sumiso, obediente y servicial. Ya no eructaba cada cinco segundos, ni creaba melodías a base de ventosidades, ni se le caía la baba continuamente. «Te veo en casa», dijo Desdémona al irse, con el tono de un sargento chusquero dirigiéndose a sus reclutas. Abundio le dio un beso en la mejilla y comenzó a recoger el chiringuito. Mientras hacía la caja y bajaba los paneles de plástico que servían como paredes, Abundio me contó que había dejado el caballo, que fue muy duro pero que lo logró gracias al apoyo de Desdémona. En cada una de las frases pronunciaba su nombre. Me dijo que el padre de Desdémona, que era distribuidor de Camy, le consiguió el trabajo en el chiringuito, y que vivía con Desdémona y con los padres y la abuela de ella en la casa familiar. Que no echaba de menos su antigua vida para nada y que era un hombre feliz, vamos. «¿Y no te falta algo de libertad?», le pregunté. Abundio permaneció unos segundos en silencio y, al fin, me contestó. «Mira, yo creo que todos los hombres del mundo, incluidos los rastas, a lo único a lo que aspiramos en esta vida es a encontrar a una mujer autoritaria que nos ordene la existencia, que nos diga lo que tenemos que hacer, que nos quite de encima todas las responsabilidades, todo el poder de decisión. Una mujer a la que bailarle el agua, a la que obedecer siempre. Y ésa es la única forma de llegar a ser felices en la vida». Dicho esto, Abundio, el esclavo ideal, puso el candado a su puesto de helados, se despidió de mí y volvió con su querida carcelera.

Yo tenía un abuelo. Era fuerte, enjuto, severo, bueno, terco hasta la extenuación. Como debe ser todo hombre. Mi abuelo tenía carisma, esa extraña atmósfera que envuelve a unos pocos. Quería a los que debía querer y era odiado por aquéllos que no saben a quién odiar. Él también odiaba, claro, pero odiaba bien, tal y como nos enseña la vida. Un día, mi abuelo murió, y el mundo se hizo más débil, más pequeño, más vacío para aquéllos que le conocimos.

Con el dinero de mi madre fui al Dos de Mayo a pillar algo de caballo, porque el pico de esa mañana, el que me metí antes de lo del estanco, no había sido suficiente. No vi a Carlos por ningún sitio. Fui a su casa, y Elena me dijo que estaba con Facundo en un extraño bar que yo no conocía. Me explicó las señas con detalle. No era mala chica, a pesar de todo. Encontré el bar, entré y vi a Carlos, en el fondo, sentado en una mesa con un grupo de tíos. Le saludé y me presentó a Facundo, que era uno de los que estaban sentados con él. Tendría unos veintimuchos años, cara de asesino, pelo rapado, aspecto de malote y patillas de hacha afilada. El resto de los acompañantes de Carlos eran más o menos iguales. Había alguno con Bomber y Martens. A mí ese lugar me daba mal rollo. Le susurré a Carlos lo del caballo. Facundo me miró y le dijo a Carlos que esas cosas las hiciera fuera del bar, que al dueño no le gustaba que se vendiera droga dentro

Salimos a la calle. Carlos me lo pasó más caro que de costumbre porque «ha subido el precio de un tiempo a esta parte, ¿sabes?» «Así que ése es Facundo…». «Sí, te habrás dado cuenta de que es un tío de puta madre, muy enrollado. No le gusta buscarle problemas a la gente». «Parecen medio calvos, sus amigos». «No te creas. Ya sabes que ahora se lleva tener esa pinta, van todos iguales, los bakaluten, los malotes, hasta algunos grunges llevan el pelo al uno…». La verdad es que tenía razón. Cada día hay más banda así por el mundo, más gente que te pega una patada en la boca si no le gusta tu cara. Carlos estaba muy serio, y se lo noté. Le pregunté qué le pasaba. «Ya no quiero a Elena. Sólo follo con ella», respondió. Me quedé callado. «Es que la mierda esa del amor no existe. Es pura fantasía de adultos jugando a ser críos», dijo. Me despedí de él. Pero era tal la verdad en sus ojos, tan cruda y cierta su mirada desolada, que supe que, en realidad, yo tampoco quería a María. Sólo follaba con ella.

Recuerdo lo de mi hermano como si hubiera sido ayer. Aquel día nos fuimos los dos a dar un paseo. Él tenía aún esa edad en la que no te dejan salir solo de casa. De camino al parque me detuve a ver un escaparate. El hermano pequeño se cansó de esperar, decidió que ya era mayorcito para cruzar la calle solo, corrió hacia el asfalto, pasó un coche y lo arrolló. Murió en el acto. Como puedes imaginar, las cosas en casa no volvieron a ser iguales. Nadie me echó la culpa de aquello. Yo no sé qué pensar.

Sé lo que es el amor. Notaba la cabeza caliente y los pies fríos, el estómago vacío y las tripas revueltas. Veía doble. La vigilia me hacía pensar y no vivir. Tenía la boca dormida y el corazón no estaba ahí. Y era una sensación tan dulce pero, al mismo tiempo, tan terriblemente amarga, que lo tuve que matar para que dejara de chillar, de doler. Sí, yo sé lo que es el amor.

Esa noche el fuego no acudió a su cita con nosotros en la azotea. María y yo esperamos, sin pasión, sumidos en una corriente blanca. Quizá no queríamos que la magia viniera. Casi saboreaba un regusto de resaca gris, y eso que me acababa de meter un pico.

En el cielo, la luna estaba rota y lloraba estrellas que las nubes no lograban ocultar. Era noche cerrada. Tenía frío, temblaba. María, a mi lado, lo notaba y me dejaba tiritar. El calor de su cuerpo asfixiaba mi piel con su roce y, sin embargo, la sentía lejana, muy lejana. No la abracé. ¿Para qué? No quería acercarla. Fruncí el ceño y me descubrí libre a mi pesar.

María miraba al infinito, a todas partes, nunca a mí. Miraba a las estrellas, a las lágrimas de luna que nos observaban y reían, como payasos de luto.

Me levanté, me fui al cuarto, la dejé sola porque la sentía iluminada. Me marché, porque no es tan hermosa la soledad en compañía. Y mientras bajaba las escaleras, me helaba pensar que tenía miedo de que no volviera a aterrizar en mí.

A la mañana siguiente, me di la vuelta en la cama y María no estaba a mi lado. Subí a la azotea. Seguía allí, medio dormida, aterida por el frío, temblando. «¿Por qué no has entrado en la habitación?», le pregunté. María no me respondió. «Me he enterado de que has estado con Verónica», dijo. «Sí». «¿Y eso qué significa?» Permanecí unos instantes en silencio y al fin respondí: «Creo que ya no te quiero». María sonrió un poco, se levantó y murmuró «voy a la habitación a ver si me queda dinero para una papelina».

Dos días después no habíamos encontrado pelas ni para un solo pico. María se sentía demasiado enferma como para trabajar. Le pedí algo a Verónica, pero estaba a dos velas. Salí a la calle, y el mundo se había vuelto negro, muy negro. Pedí cinco o seis cigarros en el camino desde la Red de San Luis a Tribunal. Carlos no estaba en el Dos de Mayo. Pasé por Bilbao para ir al bareto de Facundo. Me metí en los urinarios de la Glorieta a beber un poco de agua. Tenía la boca hecha arena. Abajo había un tío con una cuchara y un mechero en la mano. Era tal el mono que llevaba el tipo encima que no podía ni prepararse el chute. «¡Eh, tú!», me gritó. «¡Ven a calentarme el caballo o te meto mil hostias!» Estaba histérico, casi como yo. Cogí la cuchara y empecé a calentarlo. Me estaba dando un mareo enorme, te lo juro. Al fin, lo absorbí con la jeringuilla que me dio. El pulso del chaval era un puro espasmo. Debía ser el tercer pico que se metía aquel día. «Pínchame tú», me dijo. Le fui a coger el brazo, pero lo apartó. «Las venas de ahí las tengo hechas un colador», murmuró, de mala hostia, «pínchame en el cuello, mejor». Yo me quedé blanco. Nunca había pinchado a nadie en el cuello, ni siquiera a mí mismo. «¡Vamos, joder, es que no me has oído!» El tío se estaba poniendo cada vez más histérico. Y yo con la cabeza a punto de estallar. Tenía un chute entero en la mano, y se lo tenía que meter al gilipollas éste. Ahí estaba, con la cabeza ladeada para ofrecerme su cuello. Y yo quería su caballo. Su caballo era mío. Cogí la jeringuilla como si fuera un cuchillo y se la clavé dos, tres veces en el cuello. El tío se quedó tirado en el suelo del urinario, chorreando sangre. Le registré y encontré un par de papelinas más. Salí de allí corriendo hacia la pensión.

Una vez en mi habitación, le cambié la aguja a la chuta, porque se había quedado hecha un siete, y me metí el pico. Luego se la pasé a María y, después de pincharse, se quedó plácidamente dormida. Yo estaba bien, hacía tiempo que no me sentía tan a gusto, tan colocado, tan tranqui. Pasaron unas horas, y bajé al bar de Manolo. En la tele, en otro de esos jodidos programas de sucesos, hablaban de los urinarios de Bilbao.

Al parecer, el yonqui había muerto. Le pillé la yugular y se desangró como un cerdo. Estaba tan débil que no pudo ni arrastrarse escaleras arriba. Pensaban que había sido un ajuste de cuentas, o algo así, porque era un tipo muy broncas. Yo me subí a mi cuarto, a fumarme un cigarro.

ACTIVIDADES:
Enterrar orígenes bajo las alas adormecidas que el camino violentó hace años. Recelar por siempre del tiempo implacable y fatigado, de la luna desierta, de la

existencia obediente, de la muerte no eterna sino engendrada de promesas. El tiempo arde y destruye porque es su deber. El tiempo ama las largas horas de tiniebla que preceden a la cegadora luz final.

Esperar con el corazón sometido al suave ángel que me acompañará de por vida, durante la sangre toda. Observar el vuelo amanerado de débil aleteo y súbita fatiga, la ola de tierra fértil, la risa del moribundo. He ordenado muerte, labor reservada a seres de otros mundos, de otros tiempos, testigos silenciosos de creación y destrucción santiguada. Suena esa muerte húmeda. Suena, y crece sola, sabedora de poseer el destino de la vida consolada e inconsolable. Se dilata el sonido, mata la luz, invade el llanto, retumba el viento, brilla el frío. La humedad se hace total, las gotas tiemblan y son hielo congelado en el aire. Ya no es humedad, es fría solidez, esa muerte innecesaria.

Rumores. Jamás volverá a ser suave y dulce la niebla. Jamás nos acariciará de nuevo con su desalentado tacto. Cementerio me quedé, derrumbado sobre una corriente negra y desquiciada que nunca sabe dónde va. Crece lo amargo y me viste de luto. Como una sombra sin hombre, como una paloma con dientes, como una medusa de caramelo. Como el despertar de un sueño venenoso que nos ha cambiado el descanso por tormento sin pedir opinión. En la región solitaria en que me hallo, no me hubiera importado dar consentimiento, agradecer el dolor de humo, de humo porque no hiere aunque te envuelva. Pero la pesadilla llega sin pedir opinión. Y sucede que me canso del agua que atraviesa mi cuerpo sin pedir opinión, del viento que me vuela sin pedir opinión, del azúcar sexual que me devora sabiendo que odio lo dulce. ¡Dios, hazme color!

Los días fueron sucediéndose unos a otros, ya sabes, como suelen hacerlo, el martes al lunes, el miércoles al martes, y así. María estaba en cama, con el cuerpo retorcido. Vomitaba mucho. Más de lo que me gustaba ver. Yo pedía por la calle, a todo el mundo, pero nadie se apiada de un pobre yonqui que tiene que mantener a su novia enferma. No había dinero, y sin dinero no hay vida. Así que tuve que agenciarme una navaja y empezar a pedir las cosas de otra forma. Tampoco me fue demasiado bien, porque hay mucha madera por ahí, y no es fácil encontrar callejones oscuros con gente asustadiza. Aunque yo ya sabía lo que era capaz de hacer.

Un día volví al Ya'sta, mientras María seguía en la cama. Fui por ver a los amigos, ya sabes, sentía que me quedaban pocas cosas, muy pocas, y me apetecía reírme un poco con Julito, el marica, y con toda esa banda. Cuando llegué no los vi. Sólo estaba Tino, el camarero, con la cara muy triste. Le pregunté por Julito y se puso a llorar. Había muerto. Lo habían matado. Después del rollo ése de salir en la televisión estuvo una temporada muy activo, muy contento, como él era siempre. Le reconocía la gente por la calle, y todo. Y eso a él le gustaba. Una noche se fue a una fiesta de drags en el Morocco con un colega suyo, el Máximo, otro marica que yo también conocía. Iban tan felices con sus plataformas de medio metro, sus vestidos de putas, su rimmel y sus pelucas de colores. Hasta medias de rejilla llevaban. Al salir de la fiesta, un grupo de calvos les empezó a decir basteces, que si maricones, que si venid a chupármela, que si os vamos a matar a todos. Y Julito, por una vez en su vida, se tuvo que poner machito. Que si eso se lo decís a vuestros putos padres, que seguro que son más maricones que yo, y cosas por el estilo. Los calvos se mosquearon y, como son tan racionales y civilizados, les dieron una paliza criminal. Julito murió, el pobre, porque siempre fue bastante débil. A su colega, el Máximo, le sacaron un ojo y le jodieron la columna. Estaba en el hospital aún, según Tino, y parecía que se iba a quedar paralítico.

Me fui enfermo del Ya'sta. El mundo se estaba convirtiendo en una gran mierda por momentos. Es que ya no te dejaban ni vivir a tu rollo. Cada vez había más basura a mi alrededor, y más rabia dentro de mí, una de esas rabias que sabes que te puede explotar en cualquier momento, porque yo también me había convertido en una gran mierda. Y el momento de la explosión fue dos días después.

Había conseguido algo de pelas y me fui a buscar a Carlos, que, a pesar de todo, aún me lo pasaba más barato que en otros sitios. Ese día tampoco estaba en el Dos de Mayo, así que caminé hasta el bar de Facundo. Entré, y allí estaba Carlos, sentado al fondo con la pandilla de malotes. Uno de ellos le estaba contando a Facundo cómo le habían metido una paliza, fíjate que guai, cómo moló, a unos travelos que andaban por Gran Vía. Cómo les habían pisoteado con sus Martens, les habían pateado los huevos, les habían destrozado el cráneo con el bordillo de la acera. El Facundo, que era un tío de puta madre, se descojonaba. Y el resto de malotes también, porque mola eso de ir por ahí jodiendo a la gente. La rabia seguía aquí dentro, sabes, justo en el mismo sitio que la náusea ésa del Sex-Shop. Y escuchaba los detalles de la historia y la rabia se me iba haciendo más grande. Y al final exploté. Me tiré encima del simpático narrador y empecé a darle de hostias, bueno, a intentarlo, no creo que le diera ni un puñetazo, porque a los cinco segundos los otros ya me habían agarrado y me enseñaban lo chulos que eran sus puños americanos. Oí a Carlos, diciendo que me soltaran, que debía estar muy colocado. Y realmente no lo estaba.

Gracias a Dios, no recuerdo más.

5

DE búho a cielo. De cielo a mar. Las noches pasaban y me pesaban. Me pesaban como cadenas, me encadenaban a la vida.

La vida pasaba. El tiempo volaba, me miraba, volvía y se retorcía. Se alejaba y se aferraba. Como tú. Se aferraba a la vida. Me aferraba a ti. La vida eras tú, y no la entendía sin ti. ¿Cuándo me libraría de esa cadena? Cuando pasara la noche.

Oí a un búho mientras esperaba el fin de la tiniebla. Asomé la cabeza por el ventanuco. No había nada. ¿Dónde está? Lo oí otra vez. El búho estaba dentro de mí. Lo acaricié con el interior de mi piel, lo enjaulé con mis huesos. Y el búho sonaba. No hablaba, no cantaba, no gritaba. Sonaba. No lloraba ni reía. Gemía. Gemía copulando con mi alma, que sí hablaba, cantaba y gritaba. Desnudé mi interior y no había salida. El búho me clavaba sus uñas. Yo lo metí tan dentro de mí que, al final, acabó escapando. Se me escurrió entre los dedos. Lo había hundido tanto que terminó por salir disparado hacia el cielo. Tanto, que había aparecido en el cielo.

Y ahora es el cielo el que llora. Yo le digo «calla; el búho, mi amor, no duele». Pero el cielo sigue y sigue gimiendo. Ya no escucho al búho, pero el dolor del cielo evita que duerma. Y si no duermo no sueño. Y si no sueño no vivo. Debo encontrar una escopeta infinita para disparar al cielo. Sí, mataré al cielo, y el cielo se callará y me dejará en paz. No me interesa tu dolor. ¿Quién te preguntó por tu amor? El cielo es egoísta, y lo voy a matar. Yo lo mato con mi escopeta infinita. Haré un agujero que lo coma entero. Y al fin escucharé la risa del búho, que sobrevolará el cadáver del cielo con su «uh-uh». La risa me devolverá el sueño. El día está cerca.

Salgo con la escopeta. Disparo, y mato al cielo. Asesinar lo infinito es sencillo. Sabes que no puedes fallar el tiro. El cielo ha muerto. Ahora lo sustituirá el día, porque el cielo sólo existe de noche. De día no hay cielo. Sólo luz. Pero en realidad quiero la noche. ¿La quiero? Sí. Así que saldré corriendo con mi linterna antes de que amanezca y buscaré al búho. Él clavará sus uñas al cielo y lo resucitará. Y el cielo volverá a llorar y yo podré volver a sentir la noche en mí. Tu cadena en mí.

Salgo linterna en mano. Ilumino a mi alrededor. Imito el sonido de la hembra del búho. «Hu-hu». Pasa un rato. Vuelvo a ulular. «Hu-hu». El búho al fin responde. «Uh-uh». Está cerca. «Uh-uh». «Uh-uh». Al fin nos encontramos frente a frente. Me mira orgulloso. «¿No decías que no me necesitabas?» «Quiero que vuelvas al cielo». «El cielo murió. Ya no queda nada de él en mí». «Tampoco en mí, pero no puedo soñar sin él». «¿Lo queríamos alguno de los dos?» «Dios sabrá». De pronto el búho salta, vuela y se va. Pero no se aferra, como el tiempo. Adiós, búho.

Tendré que ser yo el que despierte al cielo de su letargo. Lo agarro todo él con mis manos infinitas, las manos de mi alma. Le doy la vuelta y ya no es azul, es rojo, y ahora blanco, y por fin negro. Clavo mis uñas en su cuerpo hasta cerrar mis puños. Hasta que una lágrima de esfuerzo me resbala de la mente y cae en las llagas que he abierto. Vacías, se han llenado con el agua salada. Ya no tendré un cielo muerto. Ahora tengo la vida de un mar.

—Joder, parece un cadáver, el tío.

—Calla, Verónica, eso no se dice ni en broma.

—Es que tiene la cara hecha un cromo.

—Qué poco tacto tienes, hija.

Abrí los ojos y vi la imagen borrosa de Verónica y Manolo delante de mí. Los dos me miraron atónitos y llamaron a la enfermera.

Al parecer, llevaba un mes inconsciente después de la cantidad de hostias que me dieron. Me rompieron un par de costillas, pero tuve suerte, no se me clavaron en el pulmón, que es lo chungo. Había tenido unas movidas muy raras en la cabeza que no entendí. Yo creo que me quedé un poco tonto, la verdad. Me tuvieron que pinchar mogollón de metadona y una cosa llamada Prozac, o algo así, porque, al no meterme caballo, el cuerpo me temblaba, y me daban espasmos, y todo. En teoría, estaba bastante desintoxicado. Según el médico, debería dar gracias a Dios por pasar el síndrome de abstinencia dormido. Yo lo recordaba todo como un sueño muy largo. Pasaron por mi cabeza todas esas historias que me habían ocurrido últimamente, desde la época del metro hasta lo del bar de Facundo. Pero, aparte de eso, no sentí nada.

Manolo se volvió a su bar. Lo había dejado cerrado

unas horas para venir a verme. Era un buen tío, siempre lo pensé. Le pregunté a Verónica por María. Me dijo que estaba mejor, pero que se había tenido que quedar en la pensión. Además, no quería verme enganchado a todas esas máquinas. Me contó que habían pasado bastantes cosas últimamente. Fumanchú, el chino, se hartó de su puto trabajo en el restaurante y se hizo harekrishna, el tío. Se pasaba todo el día en el Retiro con otros veinte volados de cabeza rapada y túnica naranja. Tocaba un instrumento de hojalata de fabricación casera y ofrecía galletitas a la gente que pasaba. Cosas de chinos.

Paquiño, al final, se había tomado en serio lo de la música, e iba a grabar un disco de melodías populares gallegas, tipo «Eu non sé que pasó en el mohiño». Estaba muy contento, según Verónica, y ya no follaba con Edu, el portugués. Se había enrollado con el productor del disco, un tío que le había descubierto actuando en el Jazz Madrid.

En cuanto a Verónica, estaba en lista de espera para lo del Proyecto Hombre. Manolo la había convencido. Al parecer, últimamente tenía mucha relación con él. A Manolo le ofreció el dueño de la pensión llevar la portería de un edificio suyo en Arturo Soria, y él iba a vender el bar y a largarse para allá. Y, cuando Verónica terminara la cura, se iría a vivir con él, y dejaría toda la mierda esa de chupar pollas y follar con desconocidos. Hombre, tal y como me lo contaba me sonaba un poco rosa, para qué engañarnos. Pero no la desanimé, por aquello de no parecer tan negativo como siempre. «Pero, ¿tú le quieres?», le pregunté. «Hombre, tanto como quererle... Yo le tengo cariño, y es un buen hombre. ¿Qué más le puedo pedir a la vida?».

Carlos también vino a verme. Me dijo que estaba loco, y que debería estar contento de que hubiera conseguido parar a Facundo y a los suyos. Claro, encima les tengo que agradecer que no me remataran. Me contó que Facundo, que era un tío de puta madre, no me guardaba rencor, que entendía en cierta forma lo que había hecho si el marica ése era mi amigo. Un encanto de hombre. Yo, por cambiar de tema, le pregunté por Elena. Carlos torció el gesto y me dijo que se había largado a Londres con el dueño de la tienda de ropa de segunda mano donde trabajaba. Le había dicho a Carlos que en España no había futuro (muy punki ella) y que en Inglaterra a lo mejor se podía buscar mejor la vida. «Bueno», le consolé, «como ya no la querías tampoco es tan grave». «También es verdad», me respondió. Y se fue al Dos de Mayo a seguir con lo suyo, que era vender caballo.

Al cabo de una semana salí del hospital. Ya no me querían mantener durante más tiempo, lo cual era una putada, porque las comidas eran cojonudas. Volví a la pensión. Cuando llegué, María estaba en la cama. Verónica me había mentido. Parecía muy enferma. Me recibió con una sonrisa. «No tienes tan mal aspecto», me dijo. «Tú tampoco», respondí. En realidad éramos dos putos parias con una pinta horrible.

Estos últimos días no he hecho demasiadas cosas. A

decir verdad, me he quedado un poco atontado después de la paliza. Veo las cosas mucho más lentas, no sé cómo explicarlo, más vacías, diría yo. Aunque no me hagas demasiado caso, porque no recuerdo si esas palabras significan exactamente lo que quiero decir.

Al final he conseguido un curro. Me volví a encontrar con mi madre, qué le vamos a hacer, el Destino es así de burlón, y me dijo que don Matías, el estanquero al que intentamos atracar, estaba buscando un chico que le ayudara en el negocio. Al principio el viejo no me quería coger, decía que tenía mala pinta, pero como es muy colega de mi madre (yo creo que están medio enrollados), al final me ha aceptado, aunque un poco a regañadientes. Y no me va tan mal, la verdad, currando de estanquero.

Mi opinión sobre el caballo sigue siendo la misma, ya sabes, que si no te mata te hace más fuerte. Pero ahora no me pico, porque con el sueldo del estanco no me da para pillar.

Hoy es domingo y estoy sentado sobre la cama. María sigue tumbada a mi lado. Acabo de pincharla y se ha dormido. Yo sé que se va a poner bien, de verdad, porque al final encontrarán un remedio, estoy seguro, lo dicen hasta en la tele.

Cada vez que María abre los ojos, en su infinita duermevela, me sonríe, y en ese momento sé que se va a curar para poder regalarme miles de miradas incendiadas más, igualitas que aquella primera del andén de metro. Y, cuando se cure, la llevaré a San Sebastián, para que vea las puestas de sol en el mar. «Te quiero», me dice, y yo le digo lo mismo, y así la vida está mejor, para qué engañarnos. Y ahora, de vez en cuando, me atrevo a sacar alguno de esos deseos, los que tenía guardados bajo la cama, ¿te acuerdas?, y jugueteo un rato con ellos hasta que se deshacen en mis manos.

El río se ha ido. Se fue en busca de un pequeño desierto al que llenar de vida. Peinó la arena hasta encontrar un anillo que lo uniera al cielo para siempre. ¿Lo oyes? Está llorando como una novia en el día de su boda. Y cada lágrima es un deseo que no se hará realidad jamás. Dulce sal con alas y mar.

Una pizca de veneno de vez en cuando condi-
menta los ensueños. Y mucho veneno al final da
un morir agradable.
Así habló Zarathrustra.
<small>Friedrich Nietzche</small>

ESTA SEGUNDA EDICIÓN DE

Báilame el agua

DE DANIÉL VALDÉS

SE ACABÓ DE IMPRIMIR

EN MADRID

EL DÍA 19 DE OCTUBRE

DE DOS MIL

Diseño de colección: EMILIO TORNÉ

Segunda edición: 2000. © DANIEL VALDÉS

© *De la presente edición:* CALAMBUR EDITORIAL, S.L.

C/ MARÍA TERESA, 17, 1° D. 28028 MADRID. *Tel. y fax:* 91 355 30 33

calambur@interbook.net - www.interbook.net/empresas/calambur

I.S.B.N.: 84-88015-71-2. *Dep. legal:* M-37.713-2000

Preimpresión: MCF TEXTOS, S.A. *Impresión:* GRAFICAS 85

IMPRESO EN ESPAÑA — *Printed in Spain*

CALAMBUR EDITORIAL, S.L.:

EMILIO TORNÉ (DIRECTOR), FERNANDO SÁENZ (GERENTE), JUAN FCO. ESCUDERO.